Vampyren i Blackeberg

Centrum för lättläst är:
LL-förlaget – lättlästa böcker
8 SIDOR – den lättlästa nyhetstidningen
Lättläst-tjänsten – bearbetningar och kurser
Läsombud – inspirerar till högläsning
Mer information om oss finns på **www.lattlast.se**

LL-förlaget
Box 9145
102 72 Stockholm
Tel 08-640 70 90
www.ll-forlaget.se
© 2006 John Ajvide Lindqvist och LL-förlaget
Omslag Bok & Form, Jens Andersson
Typsnitt Garamond
Papper Munken Premium Cream 80 g
Fjärde tryckningen
Tryck ScandBook AB 2010
ISBN 978 91 7053 082 1

John Ajvide Lindqvist

Vampyren i Blackeberg

ÅTERBERÄTTAD AV NIKLAS DARKE

LL-förlaget

OSKAR

Onsdag 21 oktober 1981

Klass 6 B satt i klassrummet vid sina bänkar.
Framme vid svarta tavlan stod en polis.
I bänkraden längst bak satt Oskar.
Han hoppades att polisen var där
för att gripa Jonny och Micke,
som brukade plåga honom på rasterna.

Men det var bara fantasier.
Polisen var inte där för att gripa någon.
Han var där för att varna klassen.
Polisen höll upp en liten påse
som var fylld med ett vitt pulver.
– Vet ni vad det här är? frågade han.

Ingen vågade säga något.

– Är det bakpulver, tror ni? Eller mjöl?

Oskar förstod precis vad det var i påsen.
Men han vågade inte räcka upp handen.
Då skulle Jonny och Micke tycka
att han gjorde sig märkvärdig.
Då skulle de ge honom stryk efter lektionen.

Men det var jobbigt att inte säga något
när han visste. Så till slut kunde han inte hålla sig.
Han räckte upp handen ändå.
– Det är knark, va? Heroin? sa han.

Polisen nickade.
– Hur gissade du det?

– Jag läser mycket tidningar.

Polisen såg snällt på honom.
– Det är bra det, sa han. Att läsa.

Polisen fortsatte prata om knark,
men Oskar lyssnade inte längre.
Han var rädd för vad som skulle hända på rasten.

Jonny och Micke viskade med varandra.
Nu var det kört igen. Oskar fick ont i magen.

Lektionen slutade. De andra sprang ut
på skolgården, men Oskar väntade i klassrummet.
Hur skulle han slippa stryk?
Han vågade inte stanna i klassrummet.
Då kunde Jonny och Micke komma tillbaka.
Han ville inte gå ut på skolgården.
Då kunde de ta honom där.

Han bestämde sig för att låsa in sig på toaletten.
Han gick ut genom bakdörren på skolhuset
och smög bort till toaletterna på baksidan.

Inne på toaletten lyssnade han.
Det hördes inga ljud från de andra båsen.
Han var ensam. Skönt.

Han drog fram Pissbollen ur kalsongerna.
Pissbollen var en rund skumgummibit
som Oskar hade klippt ur en gammal madrass.
Det fanns ett hål för snoppen.
När han pissade på sig sög Pissbollen upp pisset.

Oskar luktade på Pissbollen.
Jodå, nog fan hade han pissat på sig lite.
Han sköljde Pissbollen under vattenkranen.
Han kramade ur vattnet
och stoppade in den i kalsongerna igen.

Han brukade ofta pissa på sig lite grann.
Inkontinens, kallades det.
Det hade han läst i en broschyr från Apoteket.
Mest var det gamla kärringar
som var inkontinenta.
Oskar var ingen gammal kärring. Han var 12 år.
En 12-åring som brukade pissa på sig.

Plötsligt hördes steg utanför båset.
Oskar klev tyst upp på toalettsitsen.
Då syntes inte fötterna
om någon tittade under dörren.

– Grisen? ropade en röst. Det var Jonny.
Och så en röst till: – Grisen, är du där?
Micke, förstås. – Grisen? Vi vet att du är där!

Grisen. Det var deras namn på Oskar.
Han bet ihop tänderna för att inte skrika.

Nu pratade Jonny: – Lilla Grisen,
du vet att du inte kan komma undan.
Kommer du inte ut nu tar vi dig på hemvägen.

Det blev tyst en stund.
Så började de sparka och slå på dörren.
Det dundrade i toalettrummet.
Oskar förstod att han borde öppna innan de
blev helt tokiga, men han var för rädd.
– Griiisen? Öppna nu.

Så här blev det alltid när han vågade
säga något på lektionerna.
Så fort han visade för lärarna att han kunde något
ville Jonny och Micke slå honom efteråt.

Plötsligt for dörren upp.
Mickes flinande ansikte tittade in.
Jonny stack också fram huvudet.
Nu var det dags för straffet.

– Skrik som en gris! Annars spöar vi dig.

Oskar skrek som en gris.
Han rynkade ihop näsan till ett gristryne
och grymtade och skrek, grymtade och skrek.
Jonny och Micke skrattade.
– Fy fan, Grisen. Mera.

Oskar fortsatte.
Blundade hårt och grymtade.
Jonnys och Mickes skratt ekade i toalettrummet.
Oskar grymtade och skrek, länge, länge.
Tills han fick en konstig smak i munnen.

Då slutade han.
Han öppnade ögonen.
Jonny och Micke hade gått.

Han satte sig på toalettlocket och stirrade i golvet.
En droppe blod föll ner från näsan.
Det blev en röd fläck på golvet. Näsblod.
Typiskt. Jämt när han blev rädd kom näsblod.

Oskar torkade sig om näsan med toalettpapper.
Han satt kvar länge på toalettstolen.
Han hade det blodiga toalettpappret
i ena handen och Pissbollen i den andra.

De har rätt, tänkte han. Jag är en gris.
Jag pissar på mig och jag blöder näsblod.
Jag pratar för mycket.
Det rinner ur kroppens alla hål.
Snart börjar jag väl skita i byxorna också.

Oskar bestämde sig för att skolka
från sista lektionen och smita hem i stället.
Han orkade inte gå i skolan mer den här dagen.
Oskar hade haft en jävlig dag.

Nu behövde han trösta sig. Då gjorde han
som han brukade göra när han var ledsen.
Han gick till affären i Blackebergs centrum
och proppade fickorna fulla med godis: Dajm,
Japp, Coco, Bounty, Toblerone, en påse bilar.
Sedan gick han ut genom kassan utan att betala.

När han snattade kändes det lite lättare.
Då kände han sig inte som Grisen längre.
Då kände han sig modig. Då var han Mästertjuven
som trotsade farorna och överlevde.

Han kunde lura dem allihop.
Oskar gick med lätta steg över torget.
Han kände sig glad och stark.

Snart var han hemma på gården.
Just när han skulle öppna porten hem
hörde han ett surrande ljud.
En mörkröd leksaksbil kom åkande av sig själv.
Den slog emot hans fötter. Den backade,
tog ny sats och körde på honom igen.

Vad var det som hände?
Oskar blev rädd.

Någon rörde sig i taggbuskarna bredvid porten.
Var det Jonny och Micke som följt efter honom?

Men det var det inte.
Det var Tommy som bodde i porten intill.
Oskar kände sig lugn igen, trots att Tommy
var äldre och höll på med farliga saker.
Tommy och han var kompisar.

– Häftig bil, va? sa Tommy. Den är radiostyrd.
Vill du köpa den? frågade han.

– Kanske det, svarade Oskar. Hur mycket?

– Trehundra kronor.
Kostar niohundra i affären där jag snodde den.

Oskar skakade på huvudet.
– Nä. Jag har inte så mycket pengar.

Tommy nickade och gick i väg.
Den radiostyrda bilen körde en bit framför.

Oskar öppnade porten, gick uppför trapporna
och öppnade dörren till lägenheten.
Mamma var inte hemma än.
Bra. Då fick han vara i fred.

Hela eftermiddagen låg Oskar på sängen.
Han åt godis. Han tänkte.
Han tänkte att han hatade Jonny och Micke
så mycket att han skulle vilja döda dem.

När godiset var slut hade det blivit mörkt ute.
Han gick ut i köket och slängde godispappren.
Sedan öppnade han knivlådan
och tog fram den största köksknivn.
Han kände på eggen med nageln.
Den var lite slö.
Han drog kniven genom knivslipen.
Sedan kände han på eggen igen.

En liten bit av nageln skars bort.
Perfekt. Nu var den tillräckligt vass.

Han tejpade en tidning runt kniven
för att inte skära sig
och stoppade ner paketet innanför byxorna.

Nu var han redo. Leken hade börjat.
Han var en fruktad massmördare.
Nu skulle han ut i skogen
och söka rätt på nästa offer.
Han visste redan vem offret skulle bli.
Jonny med sitt långa hår och sina elaka ögon.
Oskar skulle få honom att skrika som en gris.

Men Jonny skulle skrika förgäves.
Kniven skulle få sista ordet.
Marken ska dricka hans blod, tänkte Oskar.

Marken ska dricka hans blod.
Oskar hade läst orden i en bok en gång.
Han tyckte om dem.
Han rabblade dem medan han låste ytterdörren.
Han rabblade dem när han gick
nerför trapporna och öppnade porten.
Han rabblade dem när han smög ut i mörkret.
Marken ska dricka hans blod.

Oskar kände sig nästan lycklig.
Nu var han inte Oskar längre, tänkte han.
Han hade förvandlats till Mördaren.

Han fick syn på Jonny på en kulle
en bit in i skogen.
Handen slöt sig hårt kring knivskaftet.
Nu var det dags. Han gick sakta fram till Jonny,
såg honom i ögonen och sa: – Hej Jonny.

Så drog han fram kniven. Och högg.
Han högg och högg och högg.
Med blodet forsande försökte Jonny
komma undan. Jonny skrek som en gris
när Mördaren kastade sig över honom.
Ett hugg för det där på toaletten i dag.
Ett hugg för när du spottade mig i nacken.
Ett hugg för allt taskigt du sagt till mig.
Marken ska dricka ditt blod. Hugg, hugg, hugg.

Mördaren stack kniven i ögonen på honom.
Tjick, tjick, lät det.
Han reste sig och såg på sitt offer.

Mördaren försvann. Han förvandlades tillbaka.
Nu var han bara Oskar igen. Och Jonny försvann.
Han förvandlades också tillbaka.

Kvar stod bara ett träd.
Stammen var trasig av alla knivhugg.
På marken låg barkbitar och träflisor.

Oskar kände sig lugn.
Mordfantasin hade fått honom att må bättre.
Offret hade bara varit ett träd. Ändå kändes det
som om han hade dödat Jonny på riktigt.

Oskars hand värkte. Det blödde lite från den.
Han hade skurit sig på kniven när han högg.

Oskar slickade på såret, smakade på blodet.
Det var Jonnys blod han drack, tänkte han.

Han torkade av kniven på tidningspappret
och gick hemåt. Skogen var kolmörk,
men Oskar var inte rädd längre.

När han var inne på gården gick han
till lekplatsen. Han satte sig på kanten
av sandlådan och vilade en stund.

I morgon skulle han skaffa sig en bättre kniv.
En som hade skydd så att han inte skar sig igen.
För det här skulle han göra fler gånger.
Det var en bra lek.

Håkan

Håkan Bengtsson satt på tunnelbanan.
Han var nervös för att någon skulle titta.
Men det var det ingen som gjorde.
Om någon hade tittat på honom hade de sett
en 45-årig man med kulmage och nästan inget hår.
Men Håkan Bengtsson var inte nervös
att folk skulle se att han var tjock och tunnhårig.

Han var nervös för att han bar på en hemlighet.
Han var på väg att göra något fruktansvärt.
Något som han var tvungen att göra.
För kärleks skull.

– Nästa station Vällingby, ropade högtalarna ut.
Det var där han skulle av.
Han reste sig upp och ställde sig vid dörrarna.
Hans händer darrade. Han var så hemskt nervös.
Fanns det inget annat sätt? tänkte han.

Tåget stannade, Håkan Bengtsson klev av.
I handen bar han en svart väska.
Det såg ut som en helt vanlig väska.
Det var därför han hade valt den.

För att ingen skulle tänka på hur väskan såg ut.
Men det som låg i väskan var ovanligt.
Utrustningen.

Förra gången hade han haft en väska
med adidasmärke på. Då var det någon
som hade sett det och berättat det för polisen.
Som tur var hade han slängt väskan efteråt,
så polisen hade aldrig hittat honom.
Men han hade slarvat och lämnat ett spår.
Det skulle han inte göra den här gången.

Det kändes tungt att gå.
Helst ville han bara sätta sig ner på marken.
Slippa göra det fruktansvärda, men han måste.
Knalla på bara. Mot skogen.
Höger ben, vänster ben. Gå, gå, gå.
Det måste finnas ett annat sätt.
Men han kunde inte komma på något.
Det här var enda sättet för honom
att komma nära sin älskade.
Det var tredje gången han gjorde det.
Så det spelade ingen roll. Han hade gjort det
två gånger förut, så det var för sent.
Han skulle ändå hamna i helvetet.

Nu var han inne i skogen.

Han hittade ett bra gömställe bredvid stigen.
Där kunde han se vem som gick i skogen,
men de kunde inte se honom.
Han ställde ner väskan bredvid sig.
Nu var det bara att vänta.

Först kom en liten flicka med skolväska.
Hon sjöng en sång: – *Du lilla solsken*
som tittar in igenom fönstret i stugan min.

Nej! Aldrig! tänkte Håkan. Inte ett litet barn.
Där gick gränsen. Hellre han själv i så fall.
Flickan försvann gnolande längs stigen.
Sedan kom en gammal man med hund.
Nej, tänkte Håkan. Dubbelfel.
Dels en hund att få tyst på, dels dåligt blod.

Håkan tittade på klockan.
Om två timmar skulle det vara mörkt.
Hade det inte kommit någon som passade
inom en timme måste han ta första bästa.
Han måste hinna hem innan det blev mörkt.
Innan hans älskade vaknade.

Håkan väntade och väntade.
Två tjejer i tjugoårsåldern passerade.
Nej. Han skulle inte klara två.

Håkan suckade. Han frös och tittade på klockan.
Låt det komma någon nu!

Plötsligt kom en ensam pojke längs stigen.
13–14-årsåldern, gissade Håkan. Perfekt.
Nu var det bråttom.
Håkan försökte röra på benen,
men det gick inte. Benen vägrade.

Måste. Måste. Måste.
Om han inte gjorde det, fick han ta livet av sig.
Han kunde inte komma hem utan.
Det var pojken eller han. Bara att välja.

Håkan satte sig i rörelse. Han gick ner till stigen.
– Hallå! ropade han till pojken.

Pojken stannade.
Han tittade misstänksamt på Håkan.

Jag måste säga något, tänkte Håkan.
– Ursäkta mig, men vad är klockan? sa han

Pojken tittade på Håkans armbandsklocka.
– Du har ju en klocka själv, sa han.

– Ja, men den har stannat, ljög Håkan.

Pojken tittade på sin klocka.
– Kvart över fem, typ, sa han.

– Okej, tack, sa Håkan.

Pojken stod och stirrade på Håkan.
Det här gick åt helvete. Pojken var på sin vakt.
När som helst kunde han gå därifrån.
Håkan måste hitta på något att säga.
Han nickade mot pojkens gympapåse:
– Ska du på någon träning, eller?

När pojken tittade ner på gympapåsen
tog Håkan sin chans. Båda armarna for ut,
han kopplade ett hårt grepp om pojkens huvud.
Han tryckte ena handen mot munnen
så att pojken inte kunde skrika.
Med den andra handen släpade han in honom
i skogen, bort till väskan med utrustningen.

Pojken var stark.
Håkan hade svårt att hålla fast honom,
men till slut lyckades han öppna väskan
med utrustningen.
Han tog fram en gasbehållare med ett munstycke
som han tryckte mot pojkens mun.
Så vred han på gasbehållaren.

Pojken somnade genast. Bra.

Håkan reste sig med värkande armar.
Nu hade han åtta minuter på sig.
Sedan skulle gasen sluta verka
och pojken skulle vakna.
Men han skulle inte vakna. Aldrig mer.
Nu skulle pojken dö.

Håkan plockade fram resten av utrustningen:
kniven, ett rep, en stor tratt och en plastdunk.
Han hukade sig ner över den sovande pojken.
Han smekte honom över ansiktet.
Han kysste honom på kinden.
Han böjde sig fram och viskade i hans öra:
– Förlåt.

Sedan höjde han kniven och började jobba.
Det fanns inget annat sätt.

OSKAR

Torsdag 22 oktober

Oskar och mamma satt vid köksbordet.
Mamma grät. Hon kramade Oskars hand hårt.
– Du får aldrig mer gå ut i skogen, hör du det?

Oskar svarade inte.

På bordet låg en tidning uppslagen.
Där stod att en pojke hade blivit mördad
i Vällingby i går. En pojke i Oskars ålder.
Det var därför mamma var så ledsen.

Oskar och hans mamma bodde i Blackeberg.
Det var bara en liten bit från Vällingby.
Gångavstånd.

– Du får inte gå utanför gården
tills de har fångat honom, sa mamma.

– Ska jag inte gå i skolan då? frågade Oskar.

– Jo, men efter skolan går du raka vägen hem.
Sedan går du inte utanför gården
förrän jag kommer hem från jobbet.

Mamma strök honom över kinden.
– Lilla hjärtat. Du är allt jag har.
Inget får hända dig. Då dör jag också.

Oskar började bläddra i tidningen.

– Du ska inte läsa det där, sa mamma.

– Okej, sa Oskar.
Ska bara kolla om det är något på teve.
Jag lånar tidningen en stund.

Oskar reste sig för att gå in på sitt rum.
Mamma kramade honom klumpigt.
Hennes kind kändes blöt mot hans.

Oskar lirkade sig loss och gick till sitt rum.
Han stängde dörren, la sig på sängen
och började läsa om mordet.

Nästan hela tidningen handlade om mordet.
Ju mer Oskar läste desto mer skrämd blev han.
Killen hade blivit mördad
samtidigt som Oskar hade varit i skogen.
Eller mördad… mer slaktad.
Någon hade hängt upp killen upp och ner
i ett träd och skurit halsen av honom.

Kroppen var helt tömd på blod.
Men det var något som var konstigt.
Det hade inte varit någon blodpöl under killen
när de hittade honom. Inte en droppe.

Det var läskigt att det hade hänt samtidigt.
Killen hade blivit mördad
medan Oskar högg i Jonny-trädet.
Det var nästan som om det hängde ihop.
Som om Oskars onda tankar hade fått
mordet att hända. Det var omöjligt. Eller?

Det snurrade i huvudet på Oskar.
Han klev upp ur sängen, gick ut i hallen
och satte på sig jackan.

Mamma tittade oroligt på honom.
– Vart ska du? Du ska väl inte gå till skogen?

Oskar skakade på huvudet.
– Nej. Jag ska bara gå och köpa en chokladbit.
Jag kommer hem innan det blir mörkt.

Men Oskar gick inte till kiosken.
I stället gick han till jaktaffären vid torget.
Medan expediten hjälpte en annan kund
snodde Oskar en stor jaktkniv.

Ingen märkte något.
Han hade blivit duktig på att stjäla.

När Oskar kom hem igen stängde han in sig
i rummet och tog fram kniven ur läderslidan.
Den var mycket tyngre än köksknivsen.
Mycket större också. Och mycket vassare.
Den hade ett skydd så att handen
inte skulle glida. Den var vacker.
Den gav makt åt handen som höll den.

Oskar högg några gånger i luften.
Kniven låg bra i handen.
Han tänkte hugga en gång till, men hejdade sig.
Någon kunde se honom genom fönstret.
Det var mörkt ute och tänt i hans rum.

Han måste vara försiktig.
Han kastade en blick ut mot gården,
men såg bara sin spegelbild. Mördaren.
Men ändå inte. Det här var bara en lek.
Oskar stoppade ner kniven i slidan
och gömde den i byxorna. Han gick ut i hallen.
– Jag går ut ett tag, sa han till mamma.
Jag är bara på gården.

– Du går ingen annanstans då?

– Nej, jag lovar.

Oskar gick ut till lekplatsen.
Där var det mörkt,
men runtomkring lyste husfönstren.
Han satte sig i en av gungorna
och gungade sakta.

Han tog fram jaktkniven och tittade på den.
Bladet var så blankt att månen speglade sig.
En blodig måne, tänkte Oskar.

Han reste sig från gungan
och smög fram mot ett av träden på lekplatsen.
– Vad glor du på, jävla idiot? Vill du dö, eller?

Trädet svarade inte.
Oskar körde in kniven i det. Försiktigt.
Han ville inte skada kniven.

– Så går det om man glor på mig.
Han vred runt kniven så
att en flisa lossnade ur trädet. Ett köttstycke.
Han viskade: – Skrik som en gris.

Han stannade till.
Tyckte att han hörde ett ljud.

Han såg sig omkring.
Någon stod högst uppe på klätterställningen.
Någon som inte hade stått där nyss.
Oskar blev rädd. Var det Vällingbymördaren
som hade kommit för att ta honom?

Oskar kisade för att se bättre. Nej.
Det var ett barn, en flicka han aldrig sett förut.
Eller var det en pojke?

Oskar tog ett steg mot klätterställningen.
Barnet rörde sig inte. Det bara stod
högt däruppe och tittade på honom.

Oskar gömde kniven innanför jackan.
– Hej, sa han.

Barnet svarade inte.
Oskar var så nära att han kunde se ansiktet.
Det var nog en flicka.
Mörkt hår, stora ögon. Vita händer.

Oskar försökte igen: – Hej, sa jag.

– Jag hörde det, sa barnet.

– Varför svarade du inte, då? frågade Oskar.

Barnet ryckte på axlarna. – Vet inte.

Rösten lät som en flickas röst,
men det var något underligt med den.
Den lät äldre än hon såg ut att vara.

Oskar tyckte att hon såg konstig ut.
Halvlångt, svart hår. Runt ansikte, liten näsa.
Som en klippdocka. Hon var väldigt söt.
Men det var något annorlunda med henne.
Hon hade ingen mössa och ingen jacka.
Bara en tunn rosa tröja fast det var så kallt.

Flickan pekade på trädet som Oskar huggit i.
– Vad gör du för något?

Oskar rodnade.
– Tränar. Om mördaren skulle komma.

– Vilken mördare?

– Han i Vällingby.
Han som högg ihjäl den där killen.

Flickan tittade upp mot månen.
Sedan lutade hon sig fram.
– Är du rädd för mördaren?

– Nej, sa Oskar.
Men det är ju bra om man kan försvara sig.

Det blev tyst ett tag. De såg på varandra.

– Bor du här? frågade Oskar.

– Ja.

– Var då?

– Där, sa flickan och pekade på porten
bredvid Oskars. Bredvid dig.

– Hur vet du var jag bor? undrade Oskar.

– Jag såg dig genom fönstret förut.

Oskar skämdes.
Hon hade sett när han stod och högg i luften
med kniven. Han kände hur han rodnade igen.

Plötsligt hoppade flickan rakt ut
från klätterställningen.
Oskar trodde att hon skulle slå ihjäl sig,
men hon landade på två ben,
mitt framför honom. Helt oberörd.

Oj, tänkte Oskar.
Hon måste hålla på med gymnastik eller något.

Nu kunde Oskar se henne bättre.
Ett blekt litet ansikte med jättestora
kolsvarta ögon. Långa, tunna fingrar.
Hon var nästan lika lång som han,
men mycket smalare.
Den tunna rosa tröjan smet åt
kring hennes spinkiga överkropp.

Flickan tittade allvarligt på honom. Så sa hon:
– Jag kan inte bli vän med dig. Bara så du vet.

Oskar blev arg. Men han försökte att inte visa det.
– Vadå då? sa han.

– Det är så bara. Jag kan inte bli vän med dig.

De stod stilla, en halvmeter från varandra.
Oskar fortsatte titta ner i marken.
Det luktade konstigt från flickan.
Hon luktade… sjukdom, på något sätt.
Som ett varigt sår som inte hade läkt.

Oskar rynkade på näsan.
– Är det du som luktar så konstigt?

– Det är väl det, svarade flickan.

Oskar ångrade att han hade sagt det.
Han försökte säga något snällare.
– Fryser du inte i den där tunna tröjan?

– Nej. Varför det?

Flickan såg plötsligt ledsen ut.
Ledsen och gammal.
– Jag har väl glömt hur man fryser, sa hon.

Hon vände sig snabbt om och gick mot sin port.
Hon tog tag i handtaget och svängde upp
den tunga porten hur lätt som helst.
Hur stark var hon egentligen?

Porten slog igen.
Oskar var ensam på gården nu.
Han kände sig ledsen.
Han undrade om han skulle få träffa henne igen
någon gång.

Han hade ju inte ens fått veta hennes namn.

OSKAR

Fredag 23 oktober

Hela dagen i skolan kunde Oskar bara
tänka på den underliga flickan. Vem var hon?
Vad gjorde hon på dagarna?
Vad menade hon med
att hon inte kunde bli hans vän?
Varför sa hon så?

När sista lektionen var slut skyndade han hemåt.
På gården stannade han nedanför hennes fönster.
Han försökte se något därinne,
men det gick inte. Persiennerna var nerfällda,
trots att det var mitt på dagen.
Det såg skumt ut. Förmodligen var de
något slags… konstig familj. Knarkare, kanske.

Oskar visste inte ens vad hon hette.
Ändå tänkte han på henne hela tiden.

Oskar gick hem till sig.
Han la sig på sängen och tänkte på mordet.
Och på jaktkniven som låg gömd under sängen.
Han tänkte på den försvunna blodpölen.
Efter en stund somnade han.

När han vaknade hade det blivit mörkt ute.
Det första han tänkte på var flickan.
Undrar vad hon gjorde nu?

Plötsligt kom Oskar på en sak.
Flickan bodde ju i porten bredvid.
Det betydde att hennes lägenhet fanns
på andra sidan väggen. Hennes sovrum
kanske låg bredvid Oskars sovrum.

Kanske kunde han höra henne om han la örat
mot väggen. Tjuvlyssnade.

Oskar tryckte örat mot väggen och lyssnade.
Det lät som om någon bråkade där inne.
Det lät som en man. Oskar kunde höra
att mannen var arg, men han hörde inga ord.
Var det flickans pappa?

Han lyssnade noga.
Han hörde en röst till, mycket svagare.
Det var en flickröst, men han hörde inte
om det var flickan från lekplatsen.
Han måste få träffa henne igen.
Väntade hon på honom vid lekplatsen?
Han steg upp ur sängen och ut i hallen,
satte på sig jackan och gick hemifrån.

Nej. Hon fanns inte vid lekplatsen. Den var öde.
Gungorna stod tomma i månskenet.

Oskar ville veta mer om flickan.
Han tittade på namnen i hennes portuppgång.
Kanske stod hennes efternamn där.
Men det var konstigt.
Namnen på alla andra
som bodde i portuppgången fanns där.
Men ett namn var borta.
En plats var tom: flickans lägenhet.
Var de så nyinflyttade
att de inte ens hade hunnit sätta dit namnet?

Han gick uppför trapporna till flickans dörr.
Samma sak. Ingen namnskylt på brevinkastet.

Oskar började gå nerför trappan igen.
Då hörde han hur dörren öppnades.
Någon kom ut från flickans lägenhet
och klampade nerför trappan, förbi Oskar.
Det var en gubbe.
Några steg nedanför Oskar halkade han
på ett trappsteg och tog tag i räcket
för att inte ramla.
Han var halvflintis och hade kulmage.
Han verkade stirrig.

Han luktade starkt av sprit.
Han såg sjuk ut, som en knarkare.
Han tittade snabbt på Oskar
och fortsatte nerför trappan.
Oskar hörde porten därnere öppnas och slå igen.
Kunde det vara hennes pappa?
I så fall var det inte konstigt
om hon var lite knäpp.

Oskar funderade om han skulle plinga på.
Men han vågade inte.
I stället gick han ner till lekplatsen.
Han satte sig på kanten av sandlådan
och väntade på ingenting.

Plötsligt såg han henne i ögonvrån.
Hon stod på klätterställningen precis som i går.
Han hade inte hört henne komma.
Oskar låtsades att han inte såg henne.

– Är du här igen? frågade flickan.

Oskar låtsades förvånad, lyfte huvudet
och tittade upp.

Flickan hoppade ner från klätterställningen.
Det ilade i Oskars mage när hon slog i marken.

Det var så högt.
Men hon landade mjukt
och kom fram till honom.

– Jag vill vara i fred, sa flickan.

– Jag med, sa Oskar.

– Gå hem då, sa flickan.

– Gå hem själv. Jag har bott här längre än du.

Flickan sa ingenting. Oskar tittade på henne.

Hon hade samma rosa tröja som i går,
men hon verkade inte frysa.
Hon var verkligen annorlunda.
Hon frös inte fast det var svinkallt.
Hennes röst lät så gammal.
Hennes hår var tovigt och skitigt.

Och så stank hon.
Usch, vad hon luktade illa.
Tvättade hon sig inte heller?
Oskar kräktes nästan av lukten.
Den var värre än gammal svett.
Hon luktade sår och gammalt blod.

Hon luktade död, tänkte Oskar.
Hon luktade så illa
att det inte gick att vara nära henne.

Oskar måste gå bort till gungorna
för att andas frisk luft.

Flickan verkade inte bry sig.

– Jag måste gå hem nu, sa han.

– Mmm... sa flickan. Jag är nog här i morgon.

– Här? frågade Oskar.

– Ja.

– Okej. Hej då.

– Hej då.

När Oskar gick mot sin port
satt flickan kvar i sin tunna tröja.

Hennes mamma och pappa måste vara knäppa
som lät henne gå ut på det sättet, tänkte Oskar.
Man kan ju få blåskatarr.

Håkan

Håkan gick omkring i bostadsområdet.
Han visste inte vart han skulle ta vägen.
Han var full och arg.
Nej, inte arg. Ledsen.
Han och hans älskade hade grälat.
Det hade varit på allvar den här gången.
Eller det var Håkan som hade grälat.

Hela kvällen hade han druckit sprit.
För att bli modig.
Han ville inte fortsätta med det fruktansvärda.
Han ville inte fortsätta mörda.
Han ville bara
att hans älskade skulle älska honom tillbaka.
Men så skulle det aldrig bli.
Det hade Håkan förstått nu.
Det var därför han var så ledsen.

Håkan tänkte på grälet:
– Aldrig mer, hade han sagt till sin älskade.
Jag tänker aldrig mer göra det.

– I så fall dör jag, hade hans älskade sagt.

– Men du kan ju… hämta det själv.

– Jag är för svag. Du måste göra det åt mig.

– Jag vill inte, hade Håkan sagt.
Det är så vidrigt. Jag gör det inte en gång till.

Det hade blivit tyst.
– Jag älskar dig, hade Håkan sagt till slut.

– Ja.

Så frågade han rakt ut:
– Älskar du mig?

– Skulle du hjälpa mig om jag sa att jag älskar dig?
hade hans älskade svarat.

– Ja, sa Håkan. Men du älskar mig bara
om jag hjälper dig och håller dig vid liv.
Bara om jag gör det fruktansvärda åt dig.

– Ja. Är det inte det som är kärlek?

– Nej. Det är det inte.

Det var tyst en stund.

Så sa hans älskade: – Jag älskar dig.

– Du ljuger, hade Håkan skrikit. Jag tror dig inte.
Du säger det bara för att tvinga mig.

– Håkan. Jag klarar mig ett par dagar till,
men sedan...

– Se till att börja älska mig på riktigt då,
hade Håkan skrikit.

Så hade han tagit på sig jackan,
skyndat nerför trappan och gått ut.
Han hade varit så arg att han nästan
sprang in i en pojke och halkade i trappan.

Nu var han ute och gick utan mål.
Plötsligt kände Håkan att han frös.
Han hade kommit till centrumtorget
och stod utanför kinesrestaurangen.
Det såg varmt ut därinne.
En massa folk som åt, drack,
pratade och hade trevligt.
Han kunde lika gärna gå in och ta ett glas till.

Håkan klev in genom dörren
och tittade efter ett ledigt bord.

– Hallå!
Någon ropade från bordet närmast baren.

Håkan kände igen dem:
det var Blackebergs alkisgäng.
De brukade sitta på parkbänken
utanför tunnelbanan och dricka.

En av killarna pekade på en tom stol vid bordet.
– Här kan du sitta!

Håkan kom och satte sig.
De var tre stycken:
en kille med glasögon som hette Jocke,
en lång kille som hette Lacke
och en kvinna som hette Virginia.
Lacke och Virginia höll varandra i handen
medan de drack. De verkade vara kära.
Jocke satt mest tyst.

Håkan beställde en stor whisky.
Han drack upp den direkt och beställde en ny.
Han kände sig äcklig.
Hans kläder var skrynkliga och fläckiga.
Det tunna håret var fett och smutsigt.
När han torkade sig om munnen med handen
kände han skäggstubb på hakan.

Han luktade nog lika illa som Lacke och Jocke.
Det var väl därför de hade bett honom sitta:
de trodde att han också var en alkis.

Men Håkan var inte en av dem.
Han hörde inte ihop med någon annan.
Bara med sin älskade, som inte älskade honom.

Tanken gjorde honom ledsen igen.
Han drack ur den andra whiskyn
och beställde två nya på en gång.

Jocke lutade sig fram emot honom och frågade:
– Vad gör du för att få tiden att gå?

Håkan ryckte på axlarna.
– Jag… jag hjälper till lite.

– Jaha, sa Jocke. Hjälper till med vad då?

Håkan sa ingenting.
Han tittade Jocke i ögonen. Länge.
Jocke såg plötsligt rädd ut.
Kanske såg Jocke något i hans ögon.
Kanske hade han sett vad Håkan var för en.
Kanske hade Jocke fått en glimt
av det fruktansvärda. Av hemligheten.

Snabbt svepte Håkan i sig sina whiskyglas.
Han satte på sig jackan och gick mot dörren
utan att säga hej då.

När han gick därifrån såg han gänget
genom fönstret. De tittade efter honom.
Sedan vände de sig mot varandra igen.
De skålade med varandra.
Lacke gav Virginia en puss.

Fan. Nu var det bara han och kylan igen.
Håkan gick långsamt därifrån, in på gården,
öppnade porten och gick uppför trapporna.
Det var släckt i lägenheten.
I vardagsrummet satt hans älskade på golvet.
– Var har du varit? frågade hans älskade.

– Ute, sa Håkan.

– Du är full, sa hans älskade.
Du skulle ju sluta med det där.

– Jag tänker inte sluta bara för att du säger det.

Hans älskade svarade inte, utan sa i stället:
– Snälla Håkan. Du måste hjälpa mig.
Snart är jag för svag för att röra mig.

– Gör mig lycklig, då, sa Håkan.
Låt mig röra vid dig.

– På ett villkor, sa hans älskade.
Först måste du göra det åt mig en sista gång.

– Nej. Nej. Nej. Då får det vara.

– Senast i morgon. Du måste.
Snälla Håkan. Hjälp mig en gång till.
Sedan är jag stark nog att klara mig själv.

– Ja, det är just det, sa Håkan.

– Vill du inte att jag ska klara mig själv?

– Nej. Vad ska du med mig till sedan då?

– Jag älskar dig, sa hans älskade. På sätt och vis.

– Något sådant finns inte, sa Håkan.
Antingen så älskar man eller så älskar man inte.
Det finns inget mitt emellan.

– Är det så?

Det blev tyst. Hans älskade vände sig bort.

– Håkan. Öppna fönstret.

– Varför det?

– Du vill inte hjälpa mig.
Då måste jag hämta det själv.
Innan jag blir så svag att jag dör.

Håkan suckade.
Han gick fram till fönstret och öppnade det.

Det blev iskallt i rummet.
Gardinen fladdrade till.
På ett ögonblick var Håkan ensam i rummet..

Håkan huttrade.
Var det sista gången han träffade sin älskade?

Eli

Eli satt på taket till kinesrestaurangen
och väntade. Det var sent. Snart skulle
de sista gästerna gå hemåt i mörkret och kylan.
Snart skulle det komma ett lämpligt offer.
Någon som var för full och svag för
att komma undan. Någon som gick ensam hem.

Dörren till restaurangen öppnades.
Tre människor kom ut. Det var två killar
och en kvinna. De pratade en stund,
sedan tog en av männen kvinnan i handen,
vinkade till den andra killen och sa:
– Hej då, Jocke!

Killen vinkade tillbaka.
– Hej då! Vi ses här i morgon igen.

Nej. Det kommer ni inte att göra, tänkte Eli.
Killen som hette Jocke gick runt hushörnet.
Han vek in på den mörka stigen.
Eli följde efter, hoppade från hustaket
och upp i ett träd. Trädet skakade till.
Jocke tittade upp. Men han såg inget.

Han ryckte på axlarna och gick vidare.

Eli kände till den där stigen.
Det var en genväg till gångtunneln längre bort.

Eli skyndade sig, svingade sig mellan träden
för att hinna först.
En stor lövhög hade blåst ihop mitt i tunneln.
Snart skulle Jocke komma gående.

Eli gömde sig i lövhögen.
Det dröjde några sekunder.
Sedan hördes Jockes steg eka i tunneln.
När han var alldeles intill lövhögen
började Eli jämra sig:
– Hjälp mig… Hjälp mig…

Jocke stannade.
– Hallå? Är det någon där? sa han
och gick fram till lövhögen.

– Snälla. Hjälp mig, gnydde Eli.

Jocke rafsade undan löven.
Nu såg han Eli ligga där på marken.
Liten som ett barn. Utan ytterkläder.
Jocke satte sig på huk, tog Elis hand i sin.

– Vad är det som har hänt med dig?

– Hjälp mig. Lyft upp mig, sa Eli.

– Är du skadad? frågade Jocke.
Vad är det som har hänt?

– Lyft upp mig.

– Det är inget med ryggen, va?

Jocke hade varit sjukvårdare i lumpen.
Han visste att man inte fick lyfta människor
med ryggskador.

– Nej, det är inte ryggen, sa Eli.

Jocke funderade en stund.
– Jag bär dig dit där vi kan ringa.

– Ja… tack, sa Eli.

Jocke lirkade in sin vänsterarm under knävecken
på Eli och la den andra armen
under nacken på den lilla kroppen.
– Okej. Nu lyfter jag. Oj, vad lätt du är.
Du väger ju nästan ingenting.

Eli la armarna om hans nacke och lutade kinden
mot hans axel.

– Hur känns det? frågade Jocke.

– Bra, sa Eli.

Jocke log. – Då går vi, sa han.

Det blev hans sista ord.
För nu högg Eli tänderna i honom.
Jocke ryckte till.

Det krasade till i halsen på honom
när pulsådern brast. Han fäktade
med armarna för att komma loss,
men Eli hängde kvar om halsen på honom.
Jockes glasögon föll till marken och krossades.

Jocke kämpade för att komma loss.
Han tog tag i Elis tröja och drog. Rrritsch.
Tröjan revs sönder. Men Eli hängde kvar
med huggtänderna djupt i Jockes hals.

Eli sög hans blod. Sög och sög.
Jockes styrka sipprade in genom munnen
och ut i kroppen. Varmt blod.

Det var en härlig känsla. En underbar smak.
Eli blev allt starkare medan Jocke blev svagare.

Till slut föll Jocke ihop på marken.
Eli satt ovanpå honom och sög i sig
det sista av hans blod. Nu var han död.
Det gjorde att Eli kunde leva ett tag till.
Det varma friska blodet rusade runt i kroppen.

Eli tänkte på ett gammalt ordspråk:
Den enes bröd, den andres död.
Så var det.

Eli tog ett fast grepp om Jockes huvud
och vred runt det ett helt varv.
Det knakade och knastrade i senor och ben.
Så där. Nu skulle han fortsätta vara död.
Nu skulle han inte bli en sådan som Eli.

Eli tog tag i Jockes fötter och drog honom
in i lövhögen, gömde honom under löven.
Nu syntes han inte ifall det kom någon gående.

Men så fort som möjligt måste liket bort därifrån.
Det fick Håkan fixa sedan.
Nu skulle Eli njuta av sin nya styrka.

HÅKAN

Lördag 24 oktober 1981

När Håkan vaknade hade det blivit kväll igen.
Han klev upp ur sängen
och gick till vardagsrummet.
Han klädde inte ens på sig först.

Det var som han trodde: där satt hans älskade.
Mitt på golvet. Hans älskade vände sig om
och såg honom i ögonen.

Det behövdes inga ord.
Håkan såg på den trasiga tröjan.
Han förstod genast vad som hade hänt.
Hans älskade såg så stark ut.
Blicken var vass. Kinderna var rosiga.
Hans älskade hade gjort det själv.
Det fruktansvärda. Utan hjälp av Håkan.
Kunde hans älskade klara sig utan honom nu?
Vart skulle Håkan ta vägen i så fall?
Eli, åh, Eli. Älskade Eli.

Det var som om hans älskade läst hans tankar.
Eli såg honom i ögonen igen och sa:
– Du måste hjälpa mig med en sak.

När Håkan fick höra om liket i lövhögen
blev han rasande.
Hur kunde Eli vara så oförsiktig!
Man fick aldrig lämna spår!
Vem som helst kunde hitta den döde!
Och då skulle de bli avslöjade med en gång.
Håkan skulle hamna i fängelse.

Och Eli… Håkan vågade inte tänka på
vad de skulle göra med Eli.

Han förstod att han måste göra något snabbt.
Han klädde på sig, tog väskan med utrustningen.
Sedan skyndade han ut i mörkret.

Så fort Håkan kom in i tunneln
fick han syn på lövhögen.
Han såg en skymt av något rosa under löven.
Han förstod genast vad det var: en bit av Elis tröja.

Håkan strök bort löven överst i högen.
Den dödes blinda ögon glodde mot tunnelns tak.
Ena handens fingrar höll stelt kring den
rosa tygbiten som hade lossnat från Elis tröja.
Något var fel med huvudet. Det satt liksom snett.

Håkan undersökte kroppen mer noggrant.

Huden i halsen hade spruckit runt om,
som ett rött halsband.
Nu fattade han: nacken var bruten rakt av.
Eli hade vridit offrets huvud ett helt varv
så att kotorna hade knäckts.
Håkan rös. Måste Eli vara så grym?

Håkan tog fram sin fickflaska.
Han drack tre djupa klunkar brännvin
och satte sig. Han tittade på den döde.
Han var bekant på något sätt.

Håkan reste sig igen.
Något krasade under foten.
Han tittade efter vad det var.
Ett par glasögon.
Då kände Håkan igen den döde.
Det var Jocke, alkisen från kinesrestaurangen.
Herregud. I går hade Håkan pratat med honom.
Han hade varit levande.
Nu låg han död i en lövhög med bruten nacke.
Tömd på blod. Jävlar. Fy fan.

Håkan drack mer brännvin. Inte tänka.
Bara jobba. Bara få undan kroppen nu.
Så att han och hans älskade kunde gå fria.
Men varför? Varför så med huvudet?

Plötsligt förstod Håkan.
Det var för att stänga av smittan.
Smittan fick inte nå kroppen.
För då skulle Jocke inte ha dött på riktigt.
I stället skulle han ha blivit likadan som Eli.
En odöd. En blodsugare.

Det var inte för att vara grym
som Eli hade vridit nacken av Jocke.
Det var för att vara snäll. På Elis sätt.

Dags att sätta i gång innan någon kom i tunneln.

Vad skulle han göra med kroppen?
Håkan funderade: till sjön.
Att sänka kroppen i sjön.
Där skulle ingen hitta den.

Håkan hängde väskan över axeln
och lyfte upp den döde.
Kroppen var lättare än den såg ut.

Inte så konstigt, tänkte Håkan.
Eli hade ju tömt den på blod.

Hur långt var det ner till vattnet?
Hundra meter, kanske.

Håkan släpade kroppen till sjön
utan att någon såg honom.
Han la ner liket på marken och öppnade väskan.
Han tog fram ett rep
och knöt fast två stora stenar vid Jockes fötter.
Då skulle han inte flyta upp.

Efteråt stod han kvar en stund på stranden.
Han såg ut över det mörka vattnet.
Det var blankt som en spegel.
Ingen kunde tro att det fanns ett lik under ytan.

Han hade gjort det.
Räddat sin älskade än en gång.

I vattenytan speglades några stjärnor.
Det var alldeles stilla.

Oskar

Oskar satt vid köksbordet och gjorde läxorna.
Geografi. En kartbok låg öppen framför honom.
Han skulle lära sig namnen på floderna i Kina.
Men han kunde inte koncentrera sig
på de främmande namnen.
Han tänkte bara på flickan i lekparken.

Han reste sig igen och gick till fönstret.
Nej. Ingen flicka vid gungorna. Men... vänta?
Var det någon som rörde sig i klätterställningen?
Han kupade händerna runt ögonen
för att se bättre. Jo! Där var hon!

Oskar gick ut i hallen och klädde på sig.
Mammas röst hördes från vardagsrummet:
– Vart ska du? Du går väl inte till skogen?

Oskar suckade.
– Nej. Ska bara ner till lekplatsen en sväng.

– Har du gjort klart läxan? ropade mamma.

– Jaaa, ljög Oskar och gick ut genom dörren.

Han hade sett rätt.
Flickan satt uppe på klätterställningen.
Samma rosa tröja som vanligt,
men den var smutsigare än förra gången.
Och så hade den gått sönder.
En stor bit i halsen var bortriven.
Hade hon ingen annan tröja?

Oskar stannade nedanför klätterställningen.
Han tittade upp på flickan.
– Tja, sa han.

– Hej, sa flickan. Kom upp!

– Okej, sa Oskar.

Han klättrade upp och satte sig bredvid henne.
Hon var förändrad. Håret var blankt och rent,
inte tovigt och skitigt som förut. Hon var
inte alls lika blek. Hon såg frisk ut, helt enkelt.
Flickan såg att han tittade på henne. Hon log.
– Luktar jag bättre?

– Ja, svarade Oskar. Han rodnade.

Hon vände sig mot honom.
Hennes pupiller var stora och svarta.

– Hur gammal är du? frågade Oskar.

– Vad tror du? sa flickan.

– Fjorton, femton, sa Oskar.

– Jag är tolv, sa flickan.

Tolv! Oskar blev glad. Han skulle fylla tretton
om en månad, så tolv var bra.

– När fyller du? frågade Oskar.

– Jag vet inte, svarade flickan.
Jag brukar inte fira födelsedag.

– Men din mamma och pappa måste väl veta!

– Nej. Min mamma är död.

– Oj. Jaha. Hur dog hon?

– Jag vet inte.

– Vet inte din pappa, då?

– Nej.

– Så… du får aldrig presenter och så?

Hon tog ett steg närmare honom.
Oskar såg in i hennes svarta jättepupiller.
Hon är ledsen, tänkte Oskar. Så väldigt ledsen.

– Nej, sa flickan. Jag får inga presenter.
Aldrig någonsin.

Oskar nickade stelt. Han stirrade in i pupillerna.
De var som två svarta hål i ansiktet på henne.
– Vill du ge mig en present? undrade flickan.

– Ja, viskade Oskar.

De stod tätt. Hans kind snuddade vid hennes.
Oskar blundade och njöt.
Därför såg han inte hur flickans pupiller
ändrades och blev långsmala som på en katt.
Han såg inte heller att flickans överläpp
drogs upp eller huggtänderna som växte ut.

Oskar kände bara hennes kind,
och samtidigt som hennes tänder närmade sig
hans hals förde han upp handen och strök
henne över kinden. Flickan drog sig tillbaka.
Hennes ansikte var som vanligt igen.

– Vad gjorde du? sa flickan.

– Förlåt, jag... sa Oskar.

– Vad. Gjorde. Du? Gör inte så!

Oskar visste inte vad han skulle säga.
– Vad heter du? frågade Oskar plötsligt.

– Eli, sa flickan.

– Jag heter Oskar.

Flickan verkade plötsligt orolig.
Hennes blick for fram och tillbaka
som om hon letade efter något.
Något som hon inte kunde hitta.
– Jag ska gå nu, sa hon till slut.

Oskar nickade. Flickan tittade honom
rakt i ögonen och vände sig sedan om för att gå.
Så tvekade hon.

– Kommer du i morgon? frågade Oskar.

– Ja, sa flickan lågt. Hon försvann i mörkret.

OSKAR

Onsdag 28 oktober 1981

Det var lunchrast.
Oskar satt i sandlådan på skolgården.
Han lekte att han var en bombflygare
som fällde bomber. Han tog upp en stor sten
och kastade den så att sanden yrde.

Pow! Alla är döda! Nej! Där är en som överlevt!
En bomb till! Pshiuuu! Han kastade sten
och grus omkring sig. Sanden yrde.
Många stora stenbomber landade i sandlådan.

Plötsligt hördes en röst bakom honom:
– Vad fan håller du på med?

Oskar vände sig om. Jonny och Micke.
Nej. Oskar slängde ifrån sig stenen
som han hade i handen.
– Jag bara… kastar sten.

– Varför det? sa Jonny.

– För att… ingenting, sa Oskar.
Han vågade inte erkänna att han hade lekt krig.

Jonny såg ilsken ut.
– Här ska ju småungarna leka.
Fattar du inte det? Du förstör ju sandlådan.

Micke skakade på huvudet och la armarna i kors.
– De kan ju ramla och slå sig på stenarna.
Nu får du ta och plocka upp här, Grisen.

Oskar rörde sig inte.

– Hör du vad vi säger? skrek Jonny.
Du får ta och plocka upp här!

Oskar visste inte vad han skulle göra.
Han förstod att Jonny och Micke bestämt sig.
Jonny och Micke ville bråka. Därför låtsades de
att de brydde sig om småbarnens sandlåda.

Oskar skakade på huvudet. Högt sa han: – Nej.

Det var skönt att säga.
Det gjorde honom stark.

– Vadå nej? sa Jonny. Fattar du dåligt?
Jag säger åt dig att plocka upp, och då gör du det.

– NEJ, sa Oskar.

Det ringde in till lektion.
Jonny stod stilla och stirrade på Oskar.

– Nu fattar du hur det blir, va? sa han
och vände sig om mot Micke:
– Micke. Vi tar han efter plugget.

Micke nickade: – Vi ses, Grisen.

Jonny och Micke gick in i skolhuset.
Oskar stod kvar.

Det där var jävligt dumt, tänkte han.
Nu skulle han få stryk i eftermiddag.
Men ändå. Det kändes så bra att säga ifrån.

Efter skolan stannade Oskar kvar i klassrummet.
Han hade fått en idé. Han hade kommit på
hur han och Eli skulle kunna prata med varandra
utan att träffas.

Oskar hämtade den stora uppslagsboken
som stod i bokhyllan längst bak i klassrummet.
Han bläddrade fram till bokstaven M
och började leta bland orden. Mammut...
Medici... mongol... Morfeus... morse.
Ja. Där var det. Morsealfabetet.

Morsealfabetet var ett sätt att signalera.
I stället för bokstäverna i det vanliga språket
använde man korta och långa signaler.
Bokstaven A var en kort och en lång signal.
Bokstaven B var en lång och tre korta.
Bokstaven C var en lång, en kort, en lång
och en kort. Och så vidare.

Man kunde använda signalerna på olika sätt,
man kunde blinka dem med en ficklampa.
Men det enklaste var att knacka dem.
Det var den idén Oskar hade fått.
Nu kunde han och Eli ligga på varsin sida
om väggen och knacka meddelanden till varandra.

I uppslagsboken fanns en lista
med alla bokstäver på morsealfabetet.
Oskar skrev av den på två papper.
Det ena skulle han ha själv.
Det andra skulle han ge till Eli.
När han var färdig tittade han på klockan.
Det hade gått nästan två timmar
sedan skolan slutade. Han undrade om Jonny
och Micke fortfarande väntade på honom.

Om han hade plockat upp stenarna på en gång
skulle han ha varit hemma nu. Inte varit rädd.

Han ångrade att han hade sagt nej.
Det var värre att få stryk än att plocka lite stenar.

Men om han gjorde det nu?
Skulle han slippa stryk om han berättade
att han hade plockat upp stenarna efter skolan?

Oskar samlade ihop sina saker och gick ut
till sandlådan. Han började plocka upp stenarna.
Tog ju bara tio minuter att fixa det här.
I morgon skulle han berätta det för Jonny.
Jonny skulle garva och säga: – Duktig liten gris.
Det var bättre än stryk i alla fall.

Oskar kånkade stenar fram och tillbaka
från sandlådan.
Plötsligt stod de bara där. Jonny och Micke.
Med långa hasselspön som liknade piskor.
Jonny pekade med hasselpiskan på en sten.
– Där är en.

Oskar släppte stenarna han bar på
och plockade upp stenen Jonny hade pekat på.

Jonny nickade: – Bra, Grisen.

Han viftade med piskan.

– Vi har väntat på dig, Grisen. Väntat rätt länge.

– Men till slut kom du, sa Micke
och tog ett steg framåt.

Micke och Oskar stirrade på varandra.
Oskar ville kasta stenen i ansiktet på Micke.
– Ska du inte springa? sa Micke.

Oskar rörde sig inte.
Micke rappade till med sitt spö i luften, svisch.
Oskar kramade hårdare om stenen.

Nästa pisksnärt skulle landa på hans ben,
det visste han. Men om han sprang
allt vad han kunde bort till parkvägen
skulle de inte våga slå honom. Där fanns vuxna.
Varför springer jag inte? tänkte han.
Därför att de skulle brotta ner honom
innan han hunnit fem steg.
Jonny ställde sig bredvid Micke
och snärtade med sitt spö.
Oskar blundade och öppnade ögonen igen.
– Låt bli, sa han.

Jonny vände sig mot Micke.
– Han tycker att vi ska låta bli.

Micke skakade på huvudet.

– Vi som har gjort så fina spön, fortsatte Jonny.
Vad tycker du, Micke?

Micke tittade på Oskar.
– Jag tycker att Grisen behöver lite smisk.

Jonny och Micke steg fram.
Jonny gav Oskar ett rapp över ena låret
så att han vek sig dubbel av smärtan.
Micke kom bakifrån och höll fast hans armar.

Nej, tänkte Oskar.

Jonny rappade honom på benen,
snurrade runt och slog igen och igen.
Oskars ben brände av slagen.
Han kunde inte ta sig loss ur Mickes grepp.
Tårarna kom i ögonen.
Jonny gav honom ett sista rapp.

En tår rann nerför Oskars kind.
Han hade ju plockat upp stenarna.
Varför måste de göra honom illa i alla fall?
Stenen föll ur hans grepp.
Han började gråta på riktigt.

– Grisen grinar, sa Jonny.

Jonny verkade nöjd. Klart för den här gången.
Micke släppte Oskars armar.
Oskar skakade i hela kroppen av smärtan i benen.
Han föll på knä i gruset.

– Vänta, sa Micke.

Som i en dimma såg Oskar hur Micke
kom fram till honom igen. Hur han höjde spöet.
Hur spöet svischade genom luften.
Så kände han hur ansiktet exploderade.

Han blundade.
Han hörde deras röster försvinna bort.
De lämnade honom med ansiktet i sanden.
Vänstra kinden brann. Smärtan.

Oskar låg kvar tills han började frysa.
Då satte han sig upp. Han kände försiktigt
på kinden. Det kom blod på fingrarna.

Han gick bort till toaletten
och tittade sig i spegeln.
Kinden var svullen och täckt av halvstelnat blod.
Micke måste ha slagit så hårt han kunde.

Oskar tvättade kinden och såg sig i spegeln igen.
Såret hade slutat blöda. Det var inte djupt,
men det sträckte sig över hela kinden.

Mamma. Vad ska jag säga till mamma?
Hon skulle bli så arg att hon ringde
till Jonnys och Mickes föräldrar.
Hon skulle skrika åt dem i telefonen.
Sedan skulle Oskar aldrig få vara i fred
för Jonny och Micke.

Nej.
Han kunde inte berätta sanningen för mamma.
Men vad skulle han hitta på?

Oskar tittade på såret i spegeln.
Hur kunde man få ett sådant sår?
Till slut kom han på det: klätterställningen.
Han skulle säga att han ramlat i klätterställningen.
Då skulle mamma ändå tycka synd om honom,
men han skulle slippa allt det andra.
Alla telefonsamtal till föräldrar.

Det kändes kallt i byxorna. Oskar knäppte upp
och tittade. Kalsongerna var genomblöta.
Han hade pissat på sig igen.
Oskar tog upp pissbollen och sköljde den.

Han kramade ur den och tittade sig i spegeln.
Han satte pissbollen på näsan, som en clownnäsa.
Den gula pissbollen och det röda såret.

Han spärrade upp ögonen och försökte
se vansinnig ut. Han talade till clownen i spegeln.
– Nu är det slut. Hör du det? Det räcker nu.

Clownen svarade inte.

– Jag ska inte ha det så här, fortsatte han.
Inte en gång till, hör du det? Vad ska jag göra?

Oskars röst ekade inne på den tomma toaletten.
Nu talade clownen:
– Döda dom… döda dom… döda dom…

Oskar rös. Det var lite otäckt.
Det var Mördaren som talade.

Han tog av Pissbollen från näsan
och stoppade den i kalsongerna.
Dags att gå hem. Hem och ljuga för mamma.

En timme senare låg Oskar på sin säng.
Det kändes lite bättre nu.
Men gråten fanns fortfarande i halsen.

Kinden sved efter piskrappet.

Oskar hade ljugit för mamma om såret på kinden.
Han hade dragit lögnen om klätterställningen,
och hon hade trott honom.

Han vände sig mot väggen och försökte tänka
på något annat. Han stirrade in i tapeten.
Då mindes han plötsligt: Eli!

Undrar om Eli låg vaken på andra sidan?
Han knackade på väggen. Tock-tock-tock.
Han väntade. Han kände på såret på kinden.
Det hade blivit en skorpa.
Vad skulle Eli säga om såret?

Så kom det, svagt, från andra sidan:
Tock-tock-tock. Hon var hemma!

Oskar knackade igen. Tock-tock-tock.
Svaret kom genast: Tock-tock-tock.

Han väntade. Ingen mer knackning.
Han tog lappen med morsealfabetet,
sa hej då till mamma och gick ut.
Han hade bara hunnit några steg
när Elis port öppnades.

Hon hade andra kläder på sig nu:
gymnastikskor, jeans och en svart tröja
med Stjärnornas Krig på.
Hon såg mer vanlig ut, tänkte Oskar.

Eli stannade framför honom.
Hon fick en rynka mellan ögonbrynen:
– Vad har hänt med din kind?

– Äh, jag ramlade, ljög Oskar.

Tillsammans gick de ner till lekplatsen.
De satte sig i var sin gunga.
De satt tysta och gungade en stund.

– Det är någon som har slagit dig, eller hur?
sa Eli till slut.

Oskar kände att han inte kunde ljuga för Eli.
– Ja, sa han.

Han började gunga.

– Oskar, sa Eli. Stanna lite.

Oskar bromsade med fötterna. Han stod stilla
med gungan och stirrade ner i marken.

– Du, sa Eli.

Hennes ögon lyste i mörkret. Hon tog hans hand.
Hon rörde vid såret med sin andra hand.
Hon såg gammal ut igen.
Det var som om en gammal, hård människa
pressade sig mot insidan av hennes ansikte.
Oskar ryste.

– Du ska slå tillbaka, sa Eli.
Du har aldrig slagit tillbaka, eller hur?

– Nej, sa Oskar.

– Börja nu, sa Eli. Slå tillbaka. Hårt.

– Dom är två stycken, sa Oskar.

– Då får du slå hårdare, sa Eli.
Använd vapen. Stenar. Käppar.
Slå dom mer än du egentligen vågar.
Då slutar dom.

Eli kramade Oskars hand. Han kramade tillbaka.
Men Elis grepp blev hårdare.
Så hårt att det gjorde lite ont.
Vad stark hon är, tänkte Oskar.

Eli lossade sitt grepp. Oskar tog fram lappen
med morsealfabetet. Han gav den till henne.
– Vad är det här?

– Morsealfabetet, sa Oskar.
Så att vi kan prata mer genom väggen.

Eli nickade.
Hon försökte komma på något att säga.
Så sa hon: – Det är roligt.

– Jättekul?

– Ja. Jättekul. Jättekul.

– Du är lite knäpp, vet du det? sa Oskar.

– Du får väl visa mig hur man gör, då.
För att inte vara knäpp.

– Ja, sa Oskar. Och du får hjälpa mig.
Så att jag vågar slå tillbaka.

Saker och ting skulle bli annorlunda nu,
kände Oskar. Nästa gång skulle han slå tillbaka.
Han skulle tänka på Eli och slå tillbaka.

Lacke och Virginia

Torsdag den 29 oktober

Lacke och Virginia satt på kinesrestaurangen
med varsin öl och pratade om Jocke.
Det var nästan en vecka sedan
de hade sett honom sist.
Han som brukade komma varenda kväll.
Sitta med dem på kinesen och dricka öl.

Lacke var orolig.
– Jag slår vad om att något har hänt, sa han.

– Vad skulle det vara? undrade Virginia.

Lacke ryckte på axlarna och tog en klunk öl.
Virginia smekte honom över kinden.
– Du? Det är nog ingen fara,
Jocke har varit borta länge förut
och kommit tillbaka. Du ska inte vara orolig,
sa hon och pussade honom på kinden.

– Det är ändå konstigt, sa Lacke.
Jocke brukar alltid tala om
vart han ska någonstans.
Men nu har han inte sagt något.

– Tror du att han är död? undrade Virginia.

Lacke ryckte på axlarna igen.
Han tog en klunk öl till.
Han kände på sig att Jocke var död.
Ett litet tag till tänkte han vänta.
Men sedan skulle han börja leta.
Han skulle hitta sin kompis.
Till varje pris skulle han hitta honom.

Virginia tittade ut genom fönstret.
– Men titta vem som kommer där!
sa hon plötsligt.

Lacke tittade.
Gösta? Av alla människor. Stinkbomben Gösta.
Som aldrig, ALDRIG vågade sig utanför dörren.
Som var rädd för människor men älskade
sina katter. Lacke visste inte hur många det var.
De gick inte att räkna.
Göstas lägenhet kryllade av katter.
Det hade Lacke sett
när han var och lämnade kattmat åt Gösta.

Ibland undrade han om Gösta också åt kattmat.
Han ville aldrig ha något annat
när Lacke handlade åt honom.

Lacke kände kalla kårar efter ryggen.
Han förstod genast
att det här hängde ihop med Jocke.
På något konstigt sätt.

Gösta såg sig oroligt omkring. Han verkade rädd.
Det ryckte i ansiktet på honom.

Lacke ropade: – Gösta! Kom hit!

Gösta darrade till och snodde runt.

– Kom och sätt dig, ropade Lacke.

Gösta kom fram till deras bord,
men han satte sig inte. Han stank av kattpiss.

Gösta harklade sig. Med blicken mot golvet sa han:
– Jocke.

Lacke stelnade till.
– Vad är det med honom? frågade han.

– Han är död, sa Gösta.

Lacke flämtade till.
Virginia la handen på hans axel.

– Hur vet du det? frågade Virginia.

– Jag såg det, rosslade Gösta.
När det hände. När han blev dödad.

– När då?

– Fredag natt.

– Men... sa Virginia.
Har du snackat med polisen?

Gösta skakade på huvudet.
– Nej. Har inte orkat. Och jag... såg det inte.
Inte helt. Men jag vet att han är död.

Lacke höll händerna för ansiktet.
Han viskade:
– Jag visste det, jag visste det, jag visste det.

Gösta berättade.
Från sitt köksfönster hade han utsikt
över gångtunneln. I fredags natt
hade han blivit väckt av hungriga katter.
Då hade han gått ut i köket och givit dem mat.
Sedan hade han suttit en stund vid köksbordet
och tittat ut.

– Det var ett barn, sa Gösta.
Jag såg när det kom där nere på vägen.
Barnet väntade på Jocke i gångtunneln.
Jocke gick in. Och sedan kom han inte ut igen.
Han är död. Jag vet det.

Det var alldeles tyst kring restaurangbordet.
Lacke satt med ansiktet i händerna.
Till slut viskade han:
– Vi ska ta den jäveln. Kosta vad det kosta vill.

Virginia sa ingenting.
Gösta hostade.
Bordet darrade till.

Håkan

Eli var i badrummet.
Håkan satt på hallgolvet utanför
och lyssnade på plaskandet därinne.

Kanske var det redan för sent.
I går kväll hade Håkan legat i sin säng
utan att kunna sova.
Han hade hört allting. Knackningarna i väggen.
Deras prat ute på lekplatsen.
Han hade hört Eli leka med den där Oskar.
Hört deras glada röster. Förstått.

Svartsjukan hade krälat omkring i hans mage
som en fet orm. Ihop med Oskar lät Eli lycklig.
Oskar kunde få Eli att skratta.
Det kunde inte Håkan.

Han blundade, andades djupt.
Han lyssnade på vattenplasket från badrummet.
Han tänkte på sin älskade.
Han fantiserade om den släta kroppen i badkaret.
Det enda han ville var att få smeka den kroppen.
Och få smekningar tillbaka.

Men det skulle han aldrig få. Om han inte…
Håkan orkade knappt tänka tanken.

Eli skulle aldrig älska honom på riktigt.
Men om han offrade sig
och gjorde det fruktansvärda
kanske han skulle få komma nära.
Det var enda sättet att få smeka Eli.

Vattnet slutade rinna därinne.
Nu var badkaret fullt. Eli skulle ligga där ett tag.
Håkan smög in i Elis rum för att hitta ledtrådar.
Han visste inte vad han letade efter.
Han ville bara försöka förstå
varför Eli tyckte mer om Oskar.

Det var mörkt i Elis sovrum, mörkt som i graven.
Ingenting därinne förutom sängen.
Håkan såg ett papper sticka fram under kudden.
Han tog försiktigt fram det. Vad var det här?
MORSEALFABETET stod det högst upp.
Aha, tänkte Håkan. Han skrev av lappen
och la tillbaka den under madrassen.
Nu kunde han åtminstone förstå
vad de menade med knackningarna.

Badrumslåset vreds runt. Dörren öppnades.

Eli stod framför honom. Alldeles naken. Ren.
– Sitter du här? sa Eli.

– Ja. Du är vacker, sa Håkan.

– Tack, sa Eli.

– Kan du inte vända på dig? sa Håkan.

– Varför det?

– För att… jag vill det.

– Inte jag. Kan du flytta på dig.

Håkan sa:
– Jag kanske gör det igen. Om jag får… känna lite.

Eli stannade i dörröppningen. Andades.

Håkan fortsatte: – Är du hungrig?

Eli nickade.

– Jag gör det, sa Håkan. På ett villkor. En natt.
Jag vill ha dig en natt. Jag vill ligga bredvid dig,
röra vid dig, smeka dig. En natt. Får jag det?

– Ja, sa Eli.
Men inget mer. Bara en enda natt.

– Då gör jag det, sa Håkan. I kväll.

Eli hukade sig ner bredvid honom.
Det brände i Håkans handflator.
Ville smeka. Fick inte. Inte än. Men sedan.
Efter det fruktansvärda. I kväll.

– Tack, viskade Eli.

– Förstår du nu hur mycket jag bryr mig om dig?
sa Håkan.

Eli tittade på honom. Sa ingenting.
Reste sig, gick in på sitt rum och stängde dörren.

Håkan satt kvar en lång stund på hallgolvet.
Han flämtade av upphetsning.
Inget fick gå fel den här gången. Då var allt förbi.
Då fanns det bara en sak att göra.

Håkan visste att den här dagen skulle komma.
Förr eller senare. Därför hade han förberett sig.
Högst upp i köksskåpet stod en glasburk
som var fylld med en genomskinlig vätska.

Saltsyra, frätande saltsyra som brände bort allt.
Den burken hämtade Håkan nu.
Han stoppade ner den i väskan
och drog igen dragkedjan. Nu var det dags.
Håkan gick fram till ytterdörren igen.

– Vänta. Eli kom ut ur sitt rum,
gick fram och kysste honom lätt på kinden.

Håkan blinkade. Jag är förlorad, tänkte han.
Sedan öppnade han dörren.

Det var svinkallt ute. Bra, tänkte Håkan.
Då verkar det inte misstänkt att jag har skidhuva.
Då behöver jag inte visa mitt ansikte.

Han stannade vid sporthallen i Vällingby.
Där skulle han finna sitt offer.
Det skulle inte bli svårt. Här fanns människor.
Sportträningar var i gång och simhallen
var kvällsöppen. Det var bara att välja och vraka.

Det svåra var att komma åt offret.
Men Håkan hade tänkt på det också.
Allt han behövde fanns i väskan.

Håkan tänkte på Elis kropp.

Klarade han bara det här så skulle den tillhöra
honom för en natt.
En hel natt med den älskades kropp.
De mjuka armarna, den släta magen.

Håkan andades häftigt.
Han fick stånd. Han gned sig på kuken.
Måste bli lugn, måste bli lugn nu.

Han visste vad han måste göra.
Det var vansinne, men han skulle göra det.
För den där nattens skull.

Han gick in genom entrédörrarna.
Det luktade klor från simhallen. Han gick fram
till tanten i kassan. Hon satt och läste.
– En omklädningshytt, tack.

Hon tog emot pengarna och gav honom
hyttnyckeln utan att titta upp från boken.
Hon kommer i alla fall inte att känna igen mig,
tänkte Håkan.

Han mötte ingen på vägen till omklädningshytten.
Han vred om nyckeln, gick in och låste dörren.
Han öppnade väskan och tog fram redskapen:
kniv, rep, tratt, dunk. Och så gasbehållaren.

Så. Dags att hitta ett lämpligt offer.

Håkan la örat mot hyttdörren och lyssnade.
Han andades tungt.
Magen var full av fjärilar som fladdrade oroligt.
Lugn, tänkte han. Lugn, lugn, lugn.

Håkan andades djupt tills han blev yr i huvudet.
Han ställde sig på bänken och kikade
över kanten på hytten. Perfekt.
Tre killar i trettonårsåldern kom in från simhallen.
I bara badbyxor. Håkans kuk reste sig.
Lugn. Lugn.

Han kikade över kanten igen.
Två av killarna hade fått av sig badbyxorna.
De böjde sig in i sina skåp och tog fram kläderna.
Håkan tittade på deras stjärtar,
och plötsligt fick han utlösning.
Sperman sprutade in i hörnet
och rann ner på bänken han stod på.

Ja. Nu kändes det bättre.
Men sperman var inte bra. Spår.

Håkan tog upp sina strumpor ur väskan
och torkade upp så gott det gick.

Han la tillbaka strumporna i väskan,
satte på sig skidhuvan och kikade över kanten igen.

Två av grabbarna var påklädda och färdiga.
De var på väg därifrån. Läget var perfekt.
En skulle bli kvar. Ensam i omklädningsrummet.
Det fanns ingen tid att tänka.
Håkan låste tyst upp hyttlåset och gläntade
på dörren. Han gjorde sig beredd på attack.
Nu var den tredje killen påklädd.
Han tog sin plastpåse med badkläder
och började gå mot utgången.
När han gick förbi Håkans hytt
kastade Håkan upp dörren, slet tag i grabben
och släpade in honom i hytten.
Han höll handen för munnen på honom
så att han inte skulle skrika.

Håkan tog munstycket till gasbehållaren
och pressade det mot grabbens mun, vred på gas
och såg djupt in i grabbens vettskrämda ögon.
De slocknade efter ett par sekunder.

Nu sov han. Och skulle aldrig mer vakna.
Åtta minuter hade Håkan på sig.
Men den här gången skulle det gå ännu fortare.
Han var tvungen att jobba snabbt.

Det hade varit enklare
om han hade kunnat döda pojken först.
Men blodet måste komma
från en levande kropp. Det hade Eli förklarat.
Annars var det värdelöst, till och med farligt.

Håkan surrade repet hårt kring pojkens ben.
Andra repändan fäste han i en klädkrok högt
uppe på hyttväggen. Så började han dra.
Grabbens ben lyftes från golvet.

Röster hördes från omklädningsrummet.
Håkan stod blickstilla. Tre män pratade därute.
De pratade om sport.
Men Håkan var tvungen att jobba vidare.
Han hade inte lång stund på sig.
Medan männen pratade hissade han upp pojken.
Det gnisslade i kroken.
Männen därute tystnade. Hade de hört något?
Han stod stilla, andades knappt.
Nej. Nu fortsatte de prata.
Det hade bara varit en paus i samtalet.
Prata på, prata på. Medan jag jobbar härinne.

Den sovande pojken hängde uppochner.
Huvudet dinglade några centimeter ovanför golvet.
Nu var det dags.

Pojkens kropp hängde i rätt läge.
Det var bara att ta kniven och sätta i gång.
Om bara de där gubbarna kunde gå!

Det gick inte att vänta.
Håkan satte tratten i plastdunken
och ställde den vid pojkens hals.
Han tog upp kniven.
Nu skulle han tappa blodet ur grabben.
Samtalet där ute hade tystnat.
Han lyfte kniven och vände sig om mot grabben.

Pojkens ögon var öppna. Vidöppna. De stirrade
på Håkan där han stod med kniven i handen.
De såg varandra rakt i ögonen.
Sedan öppnade grabben munnen och gallskrek.

Håkan ryggade baklänges och dunsade in
i hyttväggen. Pojken skrek och skrek.
Skriket ekade i omklädningsrummet,
studsade mellan väggarna.

Håkan höll hårdare i kniven. Han måste få slut på
pojkens skrik. Kapa huvudet så att det blev tyst.
Han hukade sig ner mot pojken.

Då bultade det på dörren: – Hallå! Öppna!

Håkan släppte kniven. Pojken skrek.
Dörren skakade av slagen utifrån.

– Öppna! Vi slår in dörren!

Slut, tänkte Håkan. Nu var det slut.
Nu fanns bara en sak att göra.

Håkan tog fram glasburken.
Han satte sig på bänken och skruvade av locket.
Väntade.
När de fick upp dörren skulle han göra det.
Innan de tog av honom huvan.
Innan de såg hans ansikte.
Mitt i skriken och bultandet tänkte Håkan
på sin älskade. Eli. Den släta kroppen.
Tiden de haft tillsammans.
Natten han aldrig fick.

Dörren flög upp och smällde in i väggen.
Pojken skrek. Utanför stod tre män.
De stirrade på Håkan och pojken.
Håkan nickade sakta. Nu. Så skrek han:
– Eli! Eli!

Sedan hällde han den frätande saltsyran
över sitt ansikte.

Eli

Eli låg i sin säng.
Det var många timmar sedan Håkan hade gått ut.
Eli förstod att det hade hänt något.
Att det inte skulle bli något blod i natt.

Det knackade i väggen.
Det var inte första gången i kväll.
Men Eli hade inte svarat.
Visst fanns längtan efter Oskar.
Men längtan efter blodet var starkare.
Det fanns ingen starkare känsla.

Eli var tvungen att hämta det själv. Igen.
Ut, alltså. Ut i bostadsområdet.
In i ett trapphus. Titta på dörrarna.
Försöka se på namnskylten om det bodde
någon ensam i någon av lägenheterna. Ringa på.

En kvinna öppnade. Hon såg trött ut.

– Hej, sa Eli och log.
Jag skulle träffa min pappa, men han kom inte.
Kan jag få låna telefonen?

Kvinnan pekade på ett bord i hallen
med en grå telefon.
Eli stod kvar. Måste bli inbjuden. Annars…

– Säkert att det går bra? sa Eli.

– Ja, ja. Kom in, kom in, sa kvinnan.

Där kom den. Inbjudan.
Kvinnan försvann in i vardagsrummet.
Eli hörde ljudet från en teveapparat där inifrån.

Eli slog ett nummer på måfå,
låtsades prata med någon, la på.
Ett fräsande hördes.
En svart katt stod i dörren till köket och morrade.
Öronen dragna bakåt, pälsen uppburrad,
ryggen krökt.

Eli tog ett steg mot katten,
som blottade tänderna, väste och backade.
Men den släppte inte Eli med blicken.
Eli rörde sig sakta framåt,
motade in katten i köket, stängde dörren.
Katter var ett hot.
De kände direkt vad man var för en.
De kunde förstöra allting.

Eli gick in i vardagsrummet.
Kvinnan satt rak i en soffa och stirrade på teven.
På soffbordet stod en skål med kex,
en ostbricka, en vinflaska och två vinglas.

Kvinnan var upptagen av teven.
Det var ett naturprogram.
Pingviner på sydpolen vaggade fram över isen.
Eli satte sig i soffan bredvid kvinnan.
Två pingviner gnuggade näbbarna mot varandra.

– Väntar du besök? frågade Eli.

Kvinnan yskakade på huvudet.
– Nej. Ta ost och kex om du vill.

Eli rörde sig inte.
Rummet luktade medicin.
Kvinnan svettades ut en doft av sjukhus.
Katten jamade i köket.
Eli kunde höra det, men inte kvinnan.

– Kommer det någon hit i kväll? frågade Eli.

Kvinnan vände sig åter mot Eli.
Den här gången såg hon irriterad ut.
– Nej. Det kommer ingen. Ät om du vill.

Eli tog ett kex och stoppade det i munnen.
Kvinnan nickade och vände sig mot teven igen.
Eli spottade ut den kletiga kexmassan i handen
och släppte den på golvet bakom armstödet.

– När ska du gå? frågade kvinnan plötsligt.

– Snart, sa Eli.

– Stanna så länge du vill. Mig gör det inget.

Eli flyttade sig närmare.
Deras armar snuddade vid varandra.
Något hände med kvinnan.
Hon darrade till och sjönk ihop.
Hon såg på Eli med drömmande blick.
– Vem är du? frågade hon.

Sjukhusdoften ångade ur kvinnans mun.

– Jag vet inte, sa Eli.

Kvinnan nickade.
Hon sträckte sig efter fjärrkontrollen
och stängde av teveljudet.
Nu hördes katten tydligt,
men kvinnan verkade inte bry sig.

Hon pekade på Elis lår:
– Får jag lägga mig i ditt knä?

– Javisst, sa Eli.

Kvinnan vilade huvudet mot Elis lår.
Eli strök henne över håret.
De satt så en stund.
Pingvinerna vaggade över isen.

Kvinnan andades nu djupt och långsamt.
Hon hade somnat.
Strax nedanför hennes öra
kunde Eli se en blodåder under huden.
Hon slickade sig om munnen.

Eli lutade sig ner, höll näsan tätt intill blodådern.
Det luktade svett, tvål, hud… och sjukhus.
Och genom allt detta kändes lukten av blod.

Kvinnan gnydde när Elis näsa nådde hennes hals,
men hon vaknade inte.
Eli höll fast hennes huvud.
Öppnade munnen så mycket det gick.
Pressade läpparna mot halsen.
Och bet ihop.
Kvinnan spratt till.

Blodet sprutade ur halsen, in i Elis mun.
Kvinnan skrek och fäktade med armarna,
men Eli höll henne fast. Sög, drack, klunkade.

Kvinnan fick tag i fjärrkontrollen
och slog den i huvudet på Eli. Teven slogs på,
signaturmelodin från Dallas ekade i rummet.

Eli slet bort munnen från kvinnans hals.
Något var fel. Blodet smakade medicin.
Stark medicin. Morfin.

Kvinnan tittade upp på Eli med stora ögon.
Nu kände Eli ännu en smak. En rutten smak.
Cancer. Kvinnan hade cancer.

Magen vreds samman av äckel.
Eli var tvungen att släppa kvinnan
och sätta sig upp för att inte kräkas.

Eli flämtade i soffhörnet. Dallasmusiken ekade.
Kvinnan skrek inte längre, låg bara stilla.
Blodet pumpade ur henne,
rann ner mellan soffkuddarna.

Hon såg Eli i ögonen.
– Snälla, viskade hon.

– Vad vill du att jag ska göra? svarade Eli.

– …snälla du… snälla du…

Så stelnade kvinnans ögon.
Hon slutade andas. Hon var död.

Eli mådde illa. Blodet dög som föda
trots att det var smittat, men morfinet…
Hon försökte resa sig ur soffan. Det gick inte.
Allt snurrade, teven, soffan, vardagsrummet.

Måste få tyst på teven, tänkte Eli och försökte
resa sig igen, men föll ihop på golvet.
Försökte krypa den sista biten, men orkade inte.
Sjönk ihop platt framför Dallas och slocknade.
Eli låg där länge, utslagen, snurrig av morfinet.

Vaknade av skrik.
Det var den instängda katten som tjöt i köket.
Eli försökte lyfta på huvudet.
Droppar av det sjuka blodet rann ner i munnen.
Eli snyftade. Spottade blodet ur munnen,
mot teven. Röda fläckar täckte skärmen.

Eli famlade efter något att hålla fast sig i,
något att ta stöd mot.

Handen fann tevens sladd. Eli drog i den,
segade sig långsamt upp, drog och drog.

Blam.
Teven föll i golvet med ett väldigt brak.
Bildröret sprack.
Det sprutade gnistor och började lukta bränt.

Men Eli var på fötter igen.
Hon vacklade ut i hallen,
tog på sig skorna och jackan.
Elden knastrade och sprakade i vardagsrummet.
Eli stängde dörren och gick därifrån.

Den döda kvinnan låg kvar därinne.

Oskar

Fredag den 30 oktober

Klass 6 B stod på led i gymnastiksalen.
Ett alldeles rakt led.
Alla var knäpptysta.
De väntade på klartecken från gymnastikläraren,
den stränge magister Avila.
När han blåste i sin visselpipa skulle de en efter en
springa fram till plinten och hoppa över.

Oskar hatade plinten. Den förbannade plinten.
Han försökte tänka att det bara var en låda
av trä med en läderkudde högst upp.
Ändå var han rädd för den.

De andra klasskamraterna
hoppade över den som ingenting.
Men Oskar bara ramlade när han försökte.
Snubblade på studsbrädan.
Sprang rätt in i sidan på plinten.
Eller fastnade högst upp.

Bakom honom i ledet stod Micke.
Han trampade på Oskars hälar,
och när Oskar vände sig om flinade han retsamt.

Sedan det där med spöet i förrgår
hade Jonny och Micke lämnat honom i fred.
Inte så att de hade bett om ursäkt,
men såret på hans kind var där,
och de tyckte väl att det räckte.

Men nu var de visst i gång igen.
De skulle plåga honom i all evighet.
Om inte… Oskar tänkte på det Eli hade sagt.
Nästa gång skulle han ge tillbaka.

Eli, förresten.
Han hade inte träffat henne på två dagar.
Hon hade inte svarat när han knackade
i väggen i går. Hade det hänt något?

Magistern blåste i visselpipan.
Oskar glömde bort Eli för en stund.
Nu fanns det annat att oroa sig för. Plinten.

Tre framför honom. En efter en tog killarna sats,
studsade på studsbrädan och flög över plinten.
Oskar blundade. Nu var det hans tur.
Då bestämde han sig.
Den här gången skulle han verkligen försöka.
Inte låta rädslan bestämma.
Bara ta sats, skjuta ifrån – och hoppa.

Oskar sprang med full fart fram mot studsbrädan.
För första gången satsade han allt.
Han tryckte i väg med fötterna
och flög av sig själv över plinten.
Han hade en sådan fart att han ramlade framstupa
när han landade på andra sidan.
Men han hade kommit över!
Magistern nickade uppmuntrande.
– Bra, Oskar. Mer balans, bara.

Magistern blåste i pipan. Det var signalen för paus.
De fick pusta en minut innan de körde ett varv till.

Den här gången lyckades Oskar ännu bättre.
Han både kom över plinten
och kunde hålla balansen när han landade.

Han hade vågat. Det var ingen stor grej,
men han hade vågat göra något
han inte hade vågat förut.

Magistern blåste av lektionen och gick till sitt rum.
Klassen plockade ihop grejerna.
Oskar fällde ner hjulen på plinten
och körde den till förrådsrummet.
Innan han gick därifrån
klappade han den på läderkudden.

– Duktig häst, viskade han.
Nu är jag inte rädd för dig längre.

Han gick mot omklädningsrummet.
Det var en sak han ville prata med magistern om.

Halvvägs till dörren blev han hejdad.
En ögla av ett hopprep for över hans huvud
och landade runt hans mage.
Någon höll honom fast.
Bakom sig hörde han Jonnys röst:
– Hoppla, Grisen.

Oskar vände sig om. Jonny stod framför honom
med hopprepshandtagen i händerna.
Han förde dem upp och ner och smackade.
– Hoppla, hoppla.

Oskar tog tag i repet med båda händerna.
Han ryckte till.
Handtagen for ur händerna på Jonny.
Oskar krängde av sig hopprepet
och kastade det på golvet.

– Nu får du hämta det där, sa Jonny.

Oskar tog upp hopprepet.

Han snurrade det över huvudet
så att handtagen svischade genom luften.
Han ropade: – Ta emot!
Och så släppte han hopprepet mot Jonny.

Jonny skyddade ansiktet med händerna.
Hopprepet flög över hans huvud
och rasslade in i en ribbstol.

Oskar gick ut från gymnastiksalen
och sprang nerför trapporna.
Hjärtat trummade i bröstet.

Det har börjat, tänkte han.

Han tog trapporna tre steg i taget,
landade jämfota på trappavsatsen,
gick igenom omklädningsrummet
och in i magisterns rum.

– Jaha Oskar, sa magistern. Vad önskar du?

– Jo, jag undrar över styrketräningen på kvällarna.

– Ja?

– Kan man vara med på den?

– Du menar styrketräningen i simhallen?
Det är bara att komma. Klockan sju varje kväll.

Oskar nickade.

– Det är bra, fortsatte magistern.
Du tränar på kvällarna.
Sedan kommer du att flyga över plinten!

Oskar gick tillbaka till omklädningsrummet.
Det var tomt, bara Oskars kläder hängde där.
Oskar duschade och torkade sig med handduken.

När han skulle klä på sig upptäckte han
att hans byxor var borta.

Det var Jonny som hade tagit dem, förstås.
Som sagt: nu hade det börjat.

Oskar fick gå hem utan byxor.
Det snöade.
Snöflingorna smälte på hans nakna ben.
Stora snöflingor smekte hans ansikte.
Han fångade några på tungan.
Det smakade gott.

Han gick in och satte på sig ett par andra byxor.

Sedan gick han ner till kiosken.
Där köpte han en tidning.
Han ville se om det stod något nytt om mördaren.
Och det gjorde det.
Mördaren var fast, stod det på framsidan.
Oskar skyndade sig hem för att läsa.
Han la sig på sängen och slog upp tidningen.

Vällingbyhallen. Det var där de hade tagit honom.
En grabb hängd uppochner,
precis som förra mordet.
Offret levde, de hade tagit galningen
innan han hade hunnit mörda.

Mördaren svårt skadad. Så svårt skadad
att det inte gick att se vem det var.

Oskar rös. Vad hade hänt?
Hela ansiktet måste ju vara borta i så fall.
En man med ansiktet förstört.

Oskar tänkte på mordet.
Han la sig ner i sängen och blundade.
Snart sov han.

Oskar drömde. Han och Eli satt på en gunga
som gungade allt högre.

Till slut lossnade gungan från sina kedjor
och flög i väg mot himlen.
De höll hårt i gungans kanter,
deras knän låg tryckta mot varandra.
Eli viskade:
– Oskar, Oskar...

Han öppnade ögonen.
Det var mörkt i rummet.
Månen lyste in genom fönstret.
Då hördes viskningen igen:
– Oskar, Oskar...

Det kom från fönstret. Han tittade dit.
Utanför såg han skuggan av ett litet huvud.
Det var Eli.
Han drog av sig täcket för att gå och öppna,
men hon viskade:
– Vänta. Ligg kvar. Får jag komma in?

Oskar viskade: – Jaaa...

– Säg att jag får komma in, sa Eli.

– Du får komma in.

– Bra. Blunda nu.

Oskar blundade.
Han hörde fönstret svänga upp.
En kall fläkt drog genom rummet.
Han hörde hur Eli andades.

– Får jag titta? viskade han.

– Vänta, viskade Eli.

Oskar kände hur en kall kropp kröp ner
bredvid honom och kurade ihop sig under täcket.
Hon var naken.
Elis andedräkt kändes varm mot hans nacke.

En kall hand letade sig fram över hans midja
och la sig på bröstet, över hans hjärta.
Han tryckte sina händer över handen,
värmde den.
Eli vred sitt huvud och la kinden mot hans rygg.

Oskar viskade:
– Var har du varit?

– Skaffat mat, sa Eli.

Oskar vände sig mot Eli.
Hennes vidöppna ögon var blåsvarta i månljuset.

– Din pappa, då? undrade Oskar.

– Borta, sa Eli.

– Borta? ropade Oskar.

– Sschh, viskade Eli. Du väcker din mamma.

Eli la båda händerna under huvudet,
tittade upp i taket.
– Jag kände mig ensam, sa hon.
Så jag kom hit. Fick jag det?

– Ja, sa Oskar. Men… du har ju inga kläder.

– Förlåt. Tycker du att det är äckligt? sa Eli.

– Nej. Men fryser du inte?

– Nej, sa Eli. Jag fryser aldrig.

Oskar tittade på Eli. Hon såg mycket friskare ut
än förra gången de sågs.
Oskar var glad att Eli låg där hos honom.
De började skoja. Oskar krökte fingrarna
och gick med dem över hennes rygg:
– Bulleri bulleri bock, hur många horn står opp?

– Mmm, sa Eli. Åtta?

– Åtta du sa, åtta det var, bulleri bulleri bock!

De gjorde leken många gånger.
Eli var bra på bulleribock,
hon gissade rätt nästan varje gång.

Det var som om hon hade ögon i nacken,
tänkte Oskar.

Sedan lekte de sten, sax och påse.
Och det vann Oskar överlägset.
Det var som om han kunde se vad Eli skulle välja.
Eli låtsades att hon blev sur.
Hon vände sig in mot väggen.
– Jag vill inte spela med dig. Buhu. Du fuskar.

Oskar tittade på hennes vita rygg.
Vågade han nu? Ja, nu när hon inte tittade.
Han tog sats och sa:
– Eli? Har jag chans på dig?

Hon vände sig om, drog upp täcket till hakan.
– Vad betyder det? frågade hon.

– Att… om du vill vara ihop med mig, liksom.

– Hur då "ihop"?

Hennes röst lät misstänksam, hård.

Oskar skyndade sig att säga:
– Du kanske redan har en kille i skolan.

Eli skakade på huvudet.
– Nej. Men Oskar. Jag kan inte. Jag är ingen flicka.

Oskar fnös till.
– Vadå? Är du en kille, eller?

– Nej. Nej, sa Eli.

– Vad är du för något, då?

– Ingenting.

– Vadå ingenting?

– Jag är ingenting, sa Eli. Inte barn. Inte gammal.
Inte pojke. Inte flicka. Ingenting.

Oskar drog med fingret över Elis rygg.
Ruskade på sig.
– Men har jag chans på dig, eller?

– Oskar, jag skulle gärna vilja,
men... kan vi inte bara vara tillsammans
så där som vi är? frågade Eli.

– ...jo... sa Oskar tvekande.

– Är du ledsen? undrade Eli.
Vi kan pussas om du vill!

– Nej! sa Oskar.

– Vill du inte det?

– Nej, det vill jag inte!

Eli rynkade ögonbrynen.
– Gör man något speciellt
med den man har chans på?

– Nej, sa Oskar, jag tror inte det.

– Så det är bara som vanligt, då?

– Ja.

Eli sken upp och såg på Oskar.
– Men då har du chans på mig! Då är vi ihop!

– Har jag det? sa Oskar förvånat. Bra.

Oskar visste inte vad han skulle säga mer.
Med en stilla glädje i magen
låg han tyst bredvid Eli.

Till slut sa Eli:
– Kan vi inte ligga så där som förut igen?

Oskar rullade runt med ryggen mot Eli.
Elis hand la sig på hans hjärta.
Oskar la sina händer på handen.

Handen trycktes hårdare mot hans hjärta.
Kramade.
Rummet blev större omkring Oskar.
Väggarna och taket mjukades upp.
Golvet föll bort.
När Oskar kände hur sängen svävade
fritt i luften förstod han att han sov.

Håkan

Lördag 31 oktober

Allt var grått kring Håkan Bengtsson
när han vaknade. Luddigt grått.
Han kunde inte fästa blicken någonstans,
det var som om han låg inuti ett regnmoln.

Låg? Ja, han låg. Ett väsande ljud kom från vänster.
Gasen, tänkte Håkan. Gasen var på.
Nej. Nu stängdes den av. Sattes på igen.

Något hände med hans lungor
när gasen stängdes av och sattes på.
Han bröstkorg höjdes och sänktes
i takt med väsandet.

Håkan försökte blinka. Ingenting hände.
Hans ena öga ryckte till, det var det enda.
Hans andra öga fanns inte.
Han försökte öppna munnen. Den fanns inte.
Det gick inte att öppna munnen, för den var borta.
Något varmt låg över hela hans ansikte.
Det kändes som stearin.

Han försökte röra högerhanden. Ja.

Där var den. I alla fall något som fungerade.
Han öppnade den, knöt den
och öppnade den igen.

Han lyfte handen, sakta.
Han såg den med sitt enda öga.
Den var som en luddig klump.

Något skavde mot halsen.
Han kände efter med handen.
Ett metallrör satt fast i hans hals.
Från röret gick en slang.

Håkan förstod att slangens andra ände satt fast
i maskinen som hjälpte honom att andas.
Om han ville dö behövde han bara dra ut slangen.

Han tänkte på det som hade hänt.
Eli. Badhuset. Pojken. Saltsyran.

Minnet tog slut när han skruvade locket av burken.
Han måste ha hällt syran över sig. Enligt planen.
Felet var att han fortfarande levde.
Det var inte enligt planen.

Meningen var att Håkan skulle dött av saltsyran.
Utan ansikte. Utan att lämna några spår till Eli.

Håkan drog i slangen för att få den att lossna.
Det gick inte. Den var hårt fastskruvad i röret.
De ville inte att han skulle dö.
De ville att han skulle leva så att han
kunde berätta varför han hade tagit pojken.

Håkan drog ännu hårdare.
Slangen lossnade lite grann.
Luften pyste ut bredvid.
Håkans lungor tömdes sakta på luft.
Det snurrade i huvudet på honom.
Röda fläckar blinkade omkring honom.

Döden. Kom du bara, tänkte Håkan.
Som det var tänkt.

Ett högt pipande hördes.
Dörren öppnades. Håkan hörde en kvinnoröst:
– Vad gör du? Släpp slangen!

Hans fingrar bändes loss, slangen skruvades fast.
Luften i lungorna kom tillbaka.

– Vi får sätta någon som vaktar på dig, sa rösten.

Håkan förstod att de inte skulle låta honom dö.
Inte ens dö skulle han få.

OSKAR

Torsdag 5 november

Klass 6 B hade friluftsdag. De var ute
på vinterpromenad. Oskar gick med fröken.

Det kändes säkrast. Jonny och Micke hade viskat
om något i morse, tittat på Oskar och pekat.
De var ute efter honom igen, men om han gick
med fröken kunde de inte göra något.

De gick genom Chinaparken ner mot sjön.
Oskar och fröken gick först, sedan gick Jonny,
Micke och de andra klasskamraterna.

När de kom fram till backen ner mot sjön
kom en av tjejerna springande:
– Fröken, fröken! Jonny la snö i min nacke!

Fröken stannade och hjälpte tjejen.
Oskar fortsatte gå.
Nu var han utan frökens beskydd en stund.
Han tittade bakåt.
Jonny och Micke närmade sig bakifrån.
Oskar tog upp en kraftig gren från sidan av vägen.
Han skakade snön av den och gick vidare.

Fröken var nu långt på efterkälken.
Hon och tjejerna lekte kull utefter vägen.

Oskar gick ut på isen.
Jonny och Micke var nästan ikapp.
Oskar höll hårdare om grenen, travade på.

Borta i viken såg Oskar magister Avila.
Han åkte skridskor
tillsammans med en annan klass.
Oskar kände sig ensam där mitt ute på isen.
Skulle inte fröken komma ikapp någon gång?

Då grep någon tag i hans armar. Jonny sa:
– Nu ska Grisen bada.

Oskar grep hårdare om staven.
Den var hans enda chans.
Jonny och Micke släpade i väg honom
mot en isvak en bit bort.

– Grisen luktar skit och måste bada, sa Micke.

– Släpp mig, sa Oskar.

– Ta det lugnt bara, sa Jonny.
Vi släpper dig sen.

Två mot en. Dessutom var de starkare än han.
Det fanns inget att ta spjärn emot.
Jonny och Micke släpade honom ut mot vaken.

Långt borta såg Oskar magister Avilas toppluva.
Han skrek. Skrek på hjälp.

– Skrik du, sa Jonny.
Kanske hinner de dra upp dig.

Den iskalla vaken gapade några meter bort.
Oskar spände sina muskler och vred sig
åt sidan med ett knyck.
Micke tappade greppet.
Oskar dinglade i Jonnys armar
och svingade käppen mot Mickes smalben.
Slog till hårt.
Käppen nästan studsade ur handen.

– Aj faaan! skrek Micke.

Jonny släppte och Oskar ramlade ner på isen.
Han reste sig upp vid kanten av vaken
och höll käppen med båda händerna.
Micke låg på rygg och vred sig, tog sig om benen.

– Jävla idiot, sa Jonny. Nu jävlar.

Jonny gick långsamt mot Oskar.
Han pekade på käppen.
– Lägg ner den där. Annars dödar jag dig.
Fattar du det?

Oskar bet ihop, gjorde sig redo.
När Jonny var tillräckligt nära
svingade Oskar käppen mot hans axel.
Jonny duckade men hann inte undan.
Käppen träffade honom rakt över örat.
Han flög åt sidan, dunsade ner på isen, vrålade.

Micke segade sig upp på fötter.
Han höll händerna framför sig. Han såg rädd ut.
– Vad fan, sa han, vi skojade ju bara.
Vi tänkte inte...

Oskar gick emot honom.
Han svängde käppen framför sig.
Micke vände och sprang in mot land.
Oskar stannade, sänkte käppen.

Jonny låg hopkurad på sidan och höll handen
för örat. Blod sipprade ut mellan fingrarna.
Det var inte meningen att göra honom så illa.

Oskar böjde sig ner över Jonny.

Han tänkte säga förlåt. Men då såg han Jonny.
Ett darrande knyte som låg och gnydde
och blödde på isen.
Det där rädda knytet skulle inte kunna göra
honom någonting. Inte slå. Inte retas.
Inte ens försvara sig.

Oskar reste sig upp.
Han mådde illa. Vad hade han gjort?
Jonny måste vara jätteskadad som blödde så där.
Tänk om han blödde ihjäl?

Oskar satte sig på isen.
Han drog av sig ena skon och tog av sig raggsockan.
Han kröp på knä fram till Jonny
och tryckte raggsockan mot det blödande örat.

– Här, sa han. Ta den.

Jonny grep sockan och pressade den mot örat.

Skrik hördes plötsligt över isen.
Barnskrik. Panikskrik. Först från ett barn.
Sedan hördes fler och fler skrikande barnröster.
Vad var det frågan om?
Oskar böjde sig ner mot Jonny.
– Kan du gå? frågade han.

Jonny öppnade munnen för att säga något.
I stället rann en gulvit spya ut mellan läpparna.
Oskar tittade på de slemmiga dropparna
och blev rädd. Han släppte käppen
och sprang mot land för att hämta hjälp.

Barnskriken blev starkare och starkare.
Han sprang mot dem.

Oskar saktade in när han närmade sig stranden.
Konstigt. Det var ju friluftsdag.
Det borde finnas barn och lärare överallt.
Men alla stod på samma ställe, de hade samlats
i en klunga på isen under ett stort träd.

Oskar gick fram till gruppen.
Alla stod i en ring runt något
som stack upp ur isen.
Många skrek. Andra grät.

– Vad är det för något?
frågade Oskar killen som stod närmast.

Killen vände sig mot Oskar med tårar i ögonen.
– Ja-hag kö-hörde på-hå den, snyftade han.
Ja-hag skulle bara kissa vid strandkanten,
och så kö-hörde jag på-hå den.

Så pekade han på klumpen.

Då såg Oskar vad det var. Ett huvud.
Ett människohuvud fastfruset i isen.

Magister Avila blåste i sin visselpipa.
Skriken tystnade.

– Alla bort! In till stranden allihop!

Klungan upplöstes långsamt.

– Ring polis och ambulans,
sa magistern till en annan lärare.
Det ligger en död människa fastfrusen i isen.

När alla hade gått därifrån fanns bara killen
som hade kört på huvudet kvar.
Han satt och stirrade på klumpen i isen och grät.

Magister Avila skrinnade ut till pojken.
Han tog honom under armarna,
lyfte honom som ett spädbarn
och körde honom in till stranden.

Håkan

Genom dimman såg Håkan en man
i mörka kläder. Mannen drog fram en stol
och satte sig vid sjukhussängen.

Nu skulle det börja, förstod Håkan.
Nu skulle frågorna komma.

Fråga på ni bara.
Några svar får ni inte från mig.
Jag har ingen mun.

Mannen var polis. Han harklade sig.
– Hur känner du dig?
Jag förstår att du inte kan prata,
men du kan väl nicka
om du förstår vad jag säger. Kan du nicka?

Jag kan, tänkte Håkan. Men jag vill inte.

Polisen suckade.
– Vi skulle vilja veta vem du är.
Vi kommer att ta reda på det. Förr eller senare.
Det går snabbare om du hjälper oss lite.

Ni kan ju försöka, tänkte Håkan.
Ingen saknar mig.
Ingen känner mig.
Och jag tänker aldrig svika min älskade.
Jag tänker inte berätta någonting
som kan leda er till Eli.

– Dom har hittat ett till av dina offer, sa polisen.
I sjön i Blackeberg.
Dom tror i alla fall att det är ett av dina.
Det var samma rep som du band grabben med.

Håkan ryckte till.

Nej, tänkte han.

– Bra, sa polisen, du hör visst vad jag säger.
Då gissar jag att du bor här i krokarna.
Var? Råcksta? Vällingby? Blackeberg?

Håkan mindes hur han hade sänkt Jocke i sjön.
Inte bra.
Han hade varit slarvig.
Och plötsligt mindes han: tröjan.
Elis tröja som Jocke hade slitit sönder.
En bit av den hade han haft i handen
när Håkan sänkte Jocke i sjön.

Med tröjbiten kan de hitta Eli ändå.
Det var inte alls enligt planen.

– Okej, sa polisen, nu ska jag lämna dig ifred.
Men jag kommer tillbaka.
Du kan fundera på om du vill samarbeta ändå.
Blir så mycket enklare då. Hej då.

Polisen gick. Sköterskan kom tillbaka.

Håkan försökte slita loss slangen igen,
men sköterskan ryckte bort hans hand.

– Vi får sätta fast dig, sa hon.
En gång till så spänner vi fast dig.
Hör du vad jag säger?

Eli, tänkte Håkan.
Åh, herregud, Eli, Eli.
Hjälp mig.

Oskar

När Oskar kom ut från träningen på kvällen
hörde han en röst bortifrån skolan: – Pssst. Oskar.

Eli steg ut ur skuggan.

– Hej, sa Oskar.

Eli såg inte frisk ut.
Hon var så där hopkrympt igen.
Huden var torr och ansiktet magert.
Flera vita hårstrån syntes bland de svarta.

När Eli var frisk fanns det ingen sötare.
Men nu… Ingen såg ut så. Dvärgar, kanske.
Men dvärgar var inte så smala.

– Hur är det? frågade han.

– Så där, sa Eli.

– Ska vi göra något?

– Så klart.

– Ska vi kolla soprummen? undrade Oskar.

– Okej, sa Eli.

De gick in i Elis port.
Oskar låste upp källardörren.
Kolmörkt i källargången.
Dörren slog igen tungt bakom dem.
De stod stilla utan att tända.

Oskar viskade:
– Eli, vet du. I dag försökte
Jonny och Micke slänga mig i en vak.

– Va!

– Men vet du vad jag gjorde? Jag slog en käpp
i huvudet på Jonny så att han blödde.
Han fick hjärnskakning, hamnade på sjukhus.
Jag kom aldrig i vattnet. Jag… slog honom.

Det blev tyst några sekunder. Sedan sa Eli:
– Oskar?

– Ja?

– Jippi.

Oskar ville se Elis ansikte.
Han sträckte sig efter lampknappen. Tände.
Såg rakt in i Elis ögon.
Det var något konstigt med pupillerna.
I några sekunder innan de vant sig vid ljuset
var pupillerna avlånga. Som på katter.

Eli blinkade. Pupillerna var som vanligt igen.
– Vad är det? frågade Eli.

– Ingenting, sa Oskar. Kom nu.

Oskar öppnade dörren till grovsoprummet.
Sopsäcken var nästan full. De rotade i skräpet.
Oskar hittade tomflaskor som gick att panta.
Eli hittade ett leksakssvärd av plast.
Hon viftade med det och sa:
– Ska vi kolla dom andra soprummen?

– Tommy och dom kanske är där. sa Oskar.

– Vilka är det?

– Äh, några äldre grabbar som har en källarklubb.

Oskar låste upp dörren till nästa källarkorridor.
Det hördes musik bortifrån Källarklubben.

– Dom är här, viskade Oskar.
De smög förbi Källarklubben och låste upp
nästa dörr. Dörren slog igen. De var ensamma igen.

Plötsligt hördes en nyckel i låset till källardörren.
De knölade snabbt in sig i en matkällare
där de knappt fick plats.
Där satt de tysta och försökte hålla sig för skratt.

En mansröst hördes:
– Vad gör ni här nere?

Oskar och Eli tryckte sig mot varandra.
Mannen gick några steg i källaren.
– Var är ni någonstans?

Oskar och Eli höll andan, medan mannen stod
stilla och lyssnade. Till slut sa han: Jävla ungar.
Och så gick han därifrån.

Oskar och Eli hörde dörren slå igen.
De kröp ut ur matkällaren, satt en stund
i gången och fnittrade.

Sedan blev Oskar allvarlig.
Han drog fram jaktkniven och kände på den.
– Vill du göra en grej? frågade han.

– Va då? undrade Eli.

– Vill du sluta förbund med mig? sa Oskar.

– Ja, sa Eli.

Oskar svalde. Han hade läst hur man gjorde det.
Det verkade lite läskigt, men han ville göra det.
Han ville blanda blod med Eli.
Det var så man gjorde när man slöt förbund.

Oskar la knivbladet i handen.
Han blundade, stängde handen hårt.
Och så drog han bladet ur handen.

Gjorde jag det verkligen?
Oskar öppnade ögonen och tittade på handflatan.
Ja. En tunn skåra syntes i handen.
Blodet trängde långsamt fram.
Eli lyfte på huvudet.
– Vad gör du?

Oskar visade såret i handen.
Då hände något han inte var beredd på.
Elis ögon spärrades upp.
Hon skakade våldsamt på huvudet,
kröp baklänges, bort från blodet.

– Nej, nej, nej…

– Vad är det? undrade Oskar.
Vi skulle ju sluta förbund.

– Nej Oskar, inte så. Inte så. Inte med blod,
sa Eli och stirrade på hans hand.

– Vill du inte? sa Oskar.
Du behöver bara sticka dig lite. Bara en droppe.
Så blandar vi blod. Sedan har vi ett förbund.

– Oskar… det går inte.
Du blir smittad, du kommer att…

Något hände med Elis ansikte. Något hemskt.
Det var som om hon blev en annan.
Läpparna drogs bakåt. De vassa tänderna syntes.
Pupillerna blev avlånga igen.

Hon ser ut som ett djur, tänkte Oskar.
Ett utsvultet rovdjur.

– Gå! skrek Eli. Gå härifrån!
Hela tiden stirrade hon på hans hand.

Oskar grät av rädsla. – Eli, sluta. Sluta leka. Sluta.

Elis kropp ryckte.
Hon stirrade på blodet som droppade från handen.
Det såg ut som om hon ville kasta sig över Oskar.
Oskar reste sig och tog några steg bakåt.
Eli kröp fram till den lilla blodfläcken på golvet.

– Gå! skrek hon igen. Gå! Annars dör du!

Oskar tryckte sig bakåt mot väggen. Han såg
hur Eli sträckte ut tungan och slickade på blodet.

– Gå… snyftade hon. Gå… snälla… gå…

Oskar vågade inte röra sig.
Plötsligt reste sig Eli och sprang bort genom
korridoren, öppnade dörren och störtade ut.

Oskar stod kvar med sin blödande hand.
Han var livrädd. Vad hade hänt med Eli?
Han måste ta reda på det.
Han sprang ut samma väg
som hon hade försvunnit.

Oskar såg sig omkring.
Inte ett spår efter henne på gården.
Men plötsligt såg han något röra sig i ett träd.
En fågel? Nej. Det var något tyngre.

Det hoppade vidare från träd till träd,
bort mot simhallen.
Det kunde väl inte vara Eli?
Han kände på sig att det hade med Eli att göra.

När Oskar kom fram till simhallen
såg han skuggan igen.
Den hoppade från ett träd och landade på taket.
Den reste sig upp i månskenet.

Och Oskar såg att det var Eli, men ändå inte Eli.
Det var en Eli som hon skulle ha sett ut
om hon hade varit ett djur.
Ett blodtörstigt rovdjur.

Varelsen som var Eli vände ansiktet mot månen.
Den sträckte ut armarna och darrade till.
Långa klor trängde ut ur fingrarna och fötterna.
Läpparna drogs ännu längre bakåt.
Huggtänder blottades.

Oskar kunde nästan inte andas.
Nu förstod han.
Förstod vem Eli var.

Blodet. Alla morden. Eli. Herregud. Eli.
Hur skulle detta sluta?

Lacke och Virginia

Det luktade kattpiss i hela trapphuset.
Ingen tvekan om att det var här Gösta bodde.
Gösta som hade sett Jocke dödas av ett barn.

Lacke och Virginia gick uppför trapporna
och ringde på. Vilda jamanden hördes därinne.
Gösta öppnade. Han hade en katt i famnen.

– Hej, sa Lacke. Får vi komma in?

– Visst, sa Gösta.

– Vet du vad som har hänt?
sa Lacke så fort de var inne i hallen.

– Nej, sa Gösta.

– De har hittat Jocke, sa Virginia.

De gick in i vardagsrummet.
Gösta föste undan några katter från soffan
så att Lacke och Virginia skulle få plats.
Stanken av kattpiss låg tung i luften.

Gösta hämtade en flaska brännvin.
Han ställde fram tre glas på soffbordet
och hällde upp. Tog en klunk.
– Så dom har hittat Jocke, sa han.

– Ja, sa Lacke. Nere vid sjön. Fastfrusen i isen.
Dom fick hacka loss honom.

– Vänta nu, sa Gösta. Hade han drunknat, alltså?

– Nä, sa Lacke. Dom trodde det först.
Sen undersökte dom honom.
Då visade det sig att han hade blivit mördad.
Nacken var av. Han var bunden med tjocka rep.
Och så hade han tunga stenar i fickorna.
Först hade han blivit mördad. Sedan sänkt i sjön.

Gösta lutade sig bakåt i soffan.
– Det var ju det jag sa. Det var det där barnet.

Lacke nickade.
– Så vi tänkte så här. Nu har dom ju hittat Jocke.
Och dom vet att han har blivit mördad.
Du är den enda som har sett något, sa han.

– Sanningen borde komma fram, sa Virginia.
Du borde gå till polisen och berätta.

Gösta såg rädd ut.
– Nej. Nej.

Det blev tyst i rummet.
Lacke suckade och hällde upp mer sprit.
Det här skulle inte bli lätt.
Så tänkte Lacke på Jocke igen.
En tår rann nerför hans kind.

Han tog Virginias hand och kramade den.

Katterna rörde sig runt i rummet.
Gösta satt tyst, länge.
Sedan mumlade han:
– Förlåt mig, men jag är för rädd för polisen.
Jag kan inte.

– Ryck upp dig Gösta, sa Lacke. Ta det lugnt.
Vi fixar det här ändå. Skål!

Han klingade glaset mot Göstas glas
och tog en klunk.
– Vi grejar det. Eller hur?

– Vi kan tipsa anonymt, sa Virginia.

– Vad är det? sa Gösta.

– Att man ringer från en telefonautomat
utan att säga vem man är.
Vi kan berätta vad vi vet utan att gå till polisen.
Gösta och Lacke tittade på Virginia.
Hon var fin hon. Smart.

Två timmar senare hade de druckit ur
den första spritflaskan.
Och en till. Och ännu en.

Lacke och Gösta hade druckit mest.
Skitfulla låg de i soffan och pratade om Jocke.
Katterna klättrade över dem.
Virginia hade inte druckit så mycket.
Hon skulle upp och jobba nästa morgon.

– Han var en vän! sluddrade Lacke. En riktig vän!

– Exakt. En jävla bra kompis, sa Gösta.

– Han var en vän som aldrig svek.
Och det är värt allt! fortsatte Lacke.
Det jag och Jocke hade var något speciellt.
Ingenting kan ersätta det.

Virginia kom fram till honom.
Hon ställde sig på knä och såg honom i ögonen.

– Lacke, sa hon. Du har ju mig.
Vi har väl också något speciellt.

Lacke ruskade på huvudet.
– Äh, sa han. Det är bara tomt. Ingenting värt.
Ingenting jämfört med Jocke.

Det var illa nog. Men Lacke slutade inte där.
Han tittade hårt på Virginia och sa:
– Du är… kall. Du har svikit mig flera gånger.
Så fort vi bråkar sticker du ifrån mig.
Åker till stan och ligger
med någon långtradarchaufför. Så gör du.
Men en vän… en vän… En vän som Jocke…

Virginia reste sig upp med tårar i ögonen.
Hon gav Lacke en örfil på kinden och sprang ut.

Lacke såg förvånat efter henne:
– Vad fan… Jag menade ju inte…

Gösta skakade på huvudet.
– Henne ser du nog inte mer.
Om du inte springer ikapp henne och säger förlåt.

Lacke tänkte på vad han hade sagt. Fan också.
Hur kunde han vara så elak?

Han rusade mot dörren
och sprang nerför trapporna så fort han kunde.

Virginia, Virginia.
Varför skulle jag säga så?
Varför skulle jag såra dig?

Långt därborta såg han Virginia springa.
Hörde hennes gråt.
Han skyndade sig för att hinna ikapp.
Borta på parkvägen saktade hon ner.
Lacke såg hur hennes rygg darrade av gråten.
Han skulle precis öppna munnen
och ropa till henne. Säga förlåt.

Då föll en skugga ner från ett träd.
Den landade tungt på Virginia.
Hon föll omkull.

Lacke började springa igen.
Framför honom reste sig Virginia
med en stor klump på ryggen.
Hon snurrade runt och föll igen.

Lacke sprang fram så fort han kunde.
Han hade bara en tanke:
att få bort det där på Virginias rygg.

Hon låg i snön med den svarta massan
krälande över sig.

Lacke nådde fram. Han tog i allt han orkade
och sparkade rakt in i det svarta.
Han hörde ett skarpt knakande som när is spricker.
Det svarta föll från Virginias rygg. Hon låg stilla.
Det svarta satte sig upp. Ett barn.
Lacke stod och tittade in i ett barnansikte.
Ett par enorma mörka ögon mötte Lackes.
Barnet ställde sig på alla fyra som en katt.
Läpparna drogs tillbaka.
Lacke såg raderna av vassa tänder lysa i mörkret.
Såg klorna.

Så reste sig barnet på två ben.
Det sprang mot skolan med långa, snabba steg.
Gled in i skuggorna och försvann.
Lacke kastade sig ner på marken till Virginia.
Han såg såret. Hela nacken var uppfläkt.
Blodet rann. Lacke slet av sig tröjan
och knölade ihop den mot såret.

– Virginia! Kära, älskade Virginia! Förlåt mig.

Äntligen kunde han få ur sig orden.
Nu när det kanske var för sent.

OSKAR

Lördag 7 november

Oskar hade inte vågat sova på hela natten.
Han låg i sin säng och pillade på plåstret
i handflatan.

Han ville inte träffa Eli mer.
Hon var otäck.
Hon var Det Hemska.
Allt som man ska akta sig för.
Höga höjder, eld, glas i gräset, ormar.

Eli var vampyr. Det var så det måste vara.

Det förklarade en massa saker.
Att hon aldrig visade sig på dagen.
Att hon kunde se i mörkret.
Att hon var så stark.
Hennes vighet.
Att hon måste ha en inbjudan.
Och så blodet på källargolvet.

Oskar rös.

Han hade en vän som levde på människors blod.

Ingen skulle tro honom.

Oskar blundade.
Han såg framför sig en rad av män
som jagade henne med spetsiga pålar.

Det var enda sättet att döda en vampyr.
Det hade Oskar läst i skräckromaner.
Att driva en spetsig påle genom hjärtat.

Oskar var rädd för Eli.
Men han ville inte att hon skulle dö.

Oskar var dödstrött.
Han hade varit vaken hela natten.
Nu sov Eli, tänkte han.
Det gjorde vampyrer på dagarna.
De brann upp om de fick solljus på sig.

Nu vågade Oskar också somna.
På dagen behövde han inte vara rädd.

Lacke och Virginia

Virginia hade kommit hem från sjukhuset.
Hon var sydd i nacken med fjorton stygn.
Men hon hade klarat sig.
Skadorna hade inte varit livshotande.

Hon hade varit trött och gått och lagt sig.
Men när hon försökte sova gick det inte.
Hon mindes överfallet.
Hon tyckte att hon såg svarta skuggor
falla från taket, ner i hennes säng.
Det kliade under plåstret på halsen.

Mitt i natten hade hon gått upp för att äta.
Magen kändes tom. Men när hon tittade
i kylskåpet fanns det inget hon ville ha.

Till slut hällde hon upp ett glas mjölk
och gjorde en ostsmörgås.
Hon satte sig vid bordet
och tittade på drycken och brödet.
Det såg äckligt ut. Hon ville inte ha det.
Hon slängde mackan i soporna
och hällde mjölken i vasken.

Hon satte sig vid bordet igen.
Konstigt. Hon var jättehungrig,
men hon ville inte ha någon mat.

Virginia hade gått och lagt sig igen.
Sedan hade hon legat och vridit sig
tills solen hade gått upp på morgonen.
Då hade hon äntligen somnat.

När hon vaknade var klockan halv elva.
Herregud! Hon skulle ha varit på jobbet
redan klockan åtta. Varför hade de inte ringt?

Hon klädde snabbt på sig och gick fram
till fönstret. Hon drog upp persiennerna.

Ljuset träffade henne som ett slag i ansiktet.
Hon stapplade bakåt och tappade persiennsnöret.
Det stack i skinnet.
Där solen hade bränt kändes det som nålar.

Vad är det här? tänkte Virginia.

Solstrålarna sved fortfarande i ögonen.
Men Virginia fortsatte ändå att klä på sig.
Hungern rasade i kroppen,
men hon mådde illa när hon tänkte på mat.

Och nu hann hon inte äta.
Hon var redan tre timmar försenad.

Hon gick nerför trapporna och ut genom porten.
Aj. Där var ljuset igen.
Det kändes som kokande vatten
på ansiktet och händerna.
Hon sprang till affären så fort hon kunde.

Inne i affären försvann smärtan.
Solljuset trängde inte in här på samma sätt.
De flesta fönster var täckta av reklamblad.
Hon gick in till kontoret.

Där stod chefen och fyllde i blanketter.
Virginia väntade sig en utskällning
för att hon var sen. Men han sa bara:
– Hej, hur är det?
Borde inte du vara hemma och vila upp dig?

Virginia skakade på huvudet.
Hon var tvungen att jobba.
Hon behövde lönen. Pengarna.

– Du Virginia, fortsatte chefen.
Det var ju tråkigt det som hände.
Om du behöver ha ledigt ett tag så får du det.

– Tack, sa Virginia. Får se hur jag gör.
Hon gick ut till kassan för att börja jobba.
Bakom kassorna fanns ett stort fönster
som släppte in mycket ljus.

Virginia satte sig vid kassaapparaten.
Det blev så där igen. Ansiktet stramade.
Ögonen värkte. Hon kunde inte sitta där.

Virginia sa till tjejen i andra kassan:
– Jag mår inte så bra.
Jag går och jobbar med frysdisken i stället.

Frysdisken låg längst in i affären.
Dit nådde inte solljuset.

Hon började väga upp räkor i påsar.
Ett halvkilo i varje påse.
I vanliga fall var det ett jobb hon inte tyckte om.
Men i dag ville hon göra det.
Det var skönt att sticka ner händerna i isen
och ta upp de frysta räkorna.
Svalkande.

Hon tänkte på vad Lacke hade sagt.
Att det var ett barn som hade anfallit henne.
Det verkade konstigt.

Ännu konstigare var det han hade sagt sedan:
att det var ett barn men inte en människa.
Att barnet hade haft huggtänder och klor.
Att det hade varit en vampyr.

Virginia hade skrattat och sagt:
– Nä, Lacke. Vampyrer finns inte.

Men Lacke hade varit allvarlig. Han var säker på
att hon hade blivit överfallen av en vampyr.

Virginia trodde att han yrade.
Det hade varit kolmörkt på parkvägen.
Lacke hade varit skitfull.
Så full att han hade sagt det där otäcka till henne.
Hon hade fortfarande inte förlåtit honom.

Det gjorde ont under plåstret på hennes hals.
Hon hade fått två små sår där
när hon blev överfallen.
Doktorn hade sagt att de skulle läka snabbt.
Men de värkte hela tiden.

Hon plockade vidare med räkorna.
Då stack det till i fingret.
Aj! Räkorna var vassa när de var frysta.
Hon hade stuckit sig på en av dem.

Hon tittade på fingret.
En droppe blod trängde fram.
Hon stoppade fingret i munnen och sög.
Det var underbart. En skön värme spred sig
när blodet kom på tungan.
Alla goda smaker fyllde hennes mun.

Virginia sög och sög
tills hon fattade vad hon höll på med.
Hon slet fingret ur munnen och stirrade på det.
Mer blod trängde fram ur såret.

Plötsligt förstod hon.
Blod.
Hon behövde blod för att slippa hungern.
Blod, inte mat.
Då svimmade Virginia.
Dråsade tungt i golvet.

Sedan gick allt fort. Tjejen i kassan sprang in
till chefen och berättade vad som hänt.
Chefen ringde först till Lacke.
Sedan körde han hem Virginia.

En halvtimme senare kom Lacke till Virginia.
Han hade en ask choklad med sig.
Den skulle hon få.

Han kände sig ledsen och skyldig.
Om han inte hade sagt så där
hade hon inte rusat i väg. Då hade hon inte
blivit överfallen av den där barnvarelsen.

Lacke gick uppför trapporna och ringde på.
Det var tyst därinne.
Han väntade en stund och ringde på igen.
Efter en lång stund hördes hasande steg.
Och så Virginias svaga röst:
– Vem är det?

– Det är jag, sa Lacke.

– Vad vill du? frågade Virginia.

– Höra hur du mår, sa Lacke.

Han väntade. Dörren låstes upp.
Där stod Virginia. Hon såg döende ut.
Hennes ansikte var täckt av små utslag.
Ögonen var rödspräckliga.
Pupillerna var nästan försvunna.

– Jag ser för jävlig ut, sa Virginia.

– Nej då, sa Lacke. Kan jag komma in?

– Nej. Jag orkar inte.

– Här, sa Lacke och sträckte fram chokladasken.

– Tack, sa Virginia.

De var tysta en stund. Sedan sa Lacke:
– Finns det inget jag kan göra?

Virginia skakade på huvudet.
– Nej. Jag måste bara vila. Vi hörs.

Dörren stängdes. Lacke stod kvar.

Det är mitt fel, tänkte han.
Hon kommer att dö av det här. Och det är mitt fel.

Han tänkte på barnet.
Han skulle få tag på det där barnet. Varelsen.
Han skulle hämnas för det som hänt Virginia.
Lacke suckade djupt. Han gick långsamt
nerför trappan och ut genom porten.

På andra sidan dörren stod Virginia och lyssnade.
Nu gick han. Skönt.
Hon ville inte att han skulle se henne så här.
Ville inte att någon skulle göra det.

När de bar ut henne till bilen
hade hennes ansikte inte varit övertäckt.
Solen hade fått fritt fram.
Hon fick brännblåsor på kinderna och i pannan.

Men det värsta var hungern.
Den rev och slet inuti henne.
Hon kunde inte ligga, inte sitta, inte stå.
Ingenting hjälpte.

Hon tog två sömntabletter för att somna,
men det hjälpte inte heller.
Hon blev bara illamående, efter fem minuter
kräktes hon upp dem på mattan.

Hon gick in i köket.
På diskbänken stod en tom vinflaska.
Hon tog upp den och bollade lite med den.

Så råkade hon tappa den.
Krasch.
Glasbitar över hela golvet.

Hon tog upp en av de spetsiga skärvorna.
Tänkte inte.
Bara pressade spetsen in i handflatan.
Blod trängde fram.

Hon tryckte handflatan mot läpparna,
slickade i sig av blodet.

Härligt.
Oron försvann.
Hon grät av lättnad.
Hon sög och slickade.
Hon gjorde flera sår i handen och fortsatte suga.
Äntligen kände hon sig lugn.
Men vad var det med henne?
Varför var blod den enda smak hon tålde?

Hungern kom tillbaka.
Hon visste vad hon måste göra.

Hon tog en vass fruktkniv den här gången.
Tog med den in i vardagsrummet.
Satte sig i soffan.
Började skära sig i armarna.

Slickade i sig blodet som trängde fram.
Grät och sög sitt eget blod.

Hela långa natten.

Håkan

Håkan låg i sjukhussängen och tittade i taket.
Det fanns inte mycket annat han kunde göra.

Det var natt. I en stol satt en vakt och sov.
Han snarkade. Håkans andningsmaskin väste.
Annars var det tyst.

Tidigare på kvällen hade polisen varit där igen.
Han hade berättat att de höll på att undersöka
Håkans klocka. Han hade sagt att nätet drogs åt.

Det betydde att de snart visste allt om Håkan.
Först skulle de spåra var klockan var köpt.
Det fanns ett nummer på klockans baksida.
Med hjälp av det
kunde de hitta affären som sålde klockan.
Sedan skulle de titta på gamla kvitton.
De skulle prata med expediter och andra kunder.
Snart skulle de få reda på allt.
Hans namn. Var han bodde. Vem han bodde med.
Varför han hade blivit en mördare.

Håkan förstod att polisen talade sanning.

Till sist skulle spåren leda dem till Eli.
Då skulle allt vara slut.
Natten med Eli skulle aldrig bli av.
Håkan skulle få sitta i fängelse resten av livet.
Och hela tiden skulle de passa honom
så att han inte dödade sig själv.

Då hördes ett skrapande ljud från fönstret.
Håkan vred på huvudet och tittade dit.
En skugga svävade utanför. Skuggan av ett barn.
Eli, tänkte Håkan.

Hjärtat började fladdra i bröstet.
Kom in, älskade, kom in, ville Håkan säga.
Men han kunde inte få fram ett ljud.
Saltsyran hade förstört munnen och stämbanden.

Kan jag öppna fönstret? tänkte Håkan.

Han drog ner benen från sängen
och satte fötterna i golvet.
Men Håkan hade legat på sjukhuset i tio dagar.
Benen var för svaga.
Han måste hålla sig i sängen för att inte ramla.

Andningsslangen sträcktes ut så att det spände
där den satt fast. De hade kopplat ett larm till den.

Det var för att Håkan inte skulle döda sig själv.
Om den lossnade började det tjuta.

Håkan måste vara försiktig.
Han måste ta sig fram till fönstret
utan att sätta i gång larmet. Till Eli.

Då kom Håkan på hur han skulle göra.
Andningsmaskinen stod på ett bord med hjul.
Om han rullade med sig bordet till fönstret
skulle larmet inte starta.

Men det var tungt.
Svetten rann i hans såriga ansikte.
Rummet simmade framför hans ögon.

Hjulen gnisslade till.
Håkan stannade, höll andan. Inte sjabbla nu.
Hade vakten vaknat av gnisslet? Nej.
Han snarkade fortfarande i sitt hörn. Sov djupt.

Med myrsteg hasade sig Håkan fram till fönstret.
Han tryckte sitt trasiga ansikte mot fönsterrutan.
Tunt glas var det enda som fanns mellan honom
och hans älskade.
Eli smekte över glaset.
Håkan tänkte att det var han som blev smekt.

Håkan kunde inte säga något.
Men en sak kunde han fortfarande: gråta.
Håkan grät tyst mot fönstret.
Tårarna rann nerför glaset.
På andra sidan såg Eli på honom.

Så öppnade Håkan fönstret.
Kall luft strömmade in i rummet.
Det var bråttom. Vakten kunde vakna av kylan.

Håkan sträckte ut sin arm.
Eli tog hans hand, kysste den och sa:
– Hej, min vän.

Håkan nickade. Han skulle inte ruttna i fängelset.
Han skulle vara med Eli. Han skulle…

Eli lutade sig mot honom och frågade:
– Vad vill du att jag ska göra?

Håkan pekade på sin hals.

– Då måste jag döda dig sedan, sa Eli.

Håkan nickade. Sedan pekade han på halsen igen.

Elis läppar drogs bakåt. Huggtänderna blottades.

Munnen trycktes mot halsen. Håkan snyftade till
när tänderna trängde in i pulsådern.

Då vaknade vakten. Han såg en tom sjukhussäng.
Han såg mördaren stå vid det öppna fönstret.
Han såg en svart klump på mördarens axel.

Vad är det där? Vakten tog ett steg mot fönstret.
Då såg han att klumpen var ett huvud. Ett barn.

– Stå alldeles stilla! skrek vakten.
Han kastade sig framåt. Barnet tog ett språng
från fönsterblecket och försvann uppåt.

Åh, herregud och jävlar, tänkte vakten.

Mördaren stod kvar med hängande huvud.
Han verkade vara svårt skadad.
Det glänste om ett färskt sår på halsen.

Vakten sprang ut i korridoren:
– Syster! Kom! Det är akut här! Det är…mord!

Larmet började tjuta. Sköterskan kom springande.
Tillsammans öppnade de dörren till rummet.

Det var för sent.

Mördaren hade klättrat upp i fönstret.
Han såg på vakten och sköterskan.
Så tog han ett steg rätt ut i luften och försvann.

Det fanns inte mycket kvar av Håkan.
Hans kropp hade gått sönder
när den slog i marken. En hög med kött och ben.
Det syntes knappt att det hade varit en människa.

Poliser och tidningsfolk hade tagit fotografier
av den döde. Sedan lades liket på en vagn
och täcktes med ett skynke.

En man som hette Benke Edwards
körde vagnen till bårhuset. Det var hans jobb.
Varje dag skjutsade han döda
genom korridorerna från sjukhuset.
Men det här var speciellt.
Kötthögen under skynket var en kändis.
Mördaren som det stått om i tidningarna.

Men Benke Edwards tänkte inte så mycket på det.
Han hade sett folk som hoppat från
tionde våningen förut. De såg likadana ut allihop.
Barn, vuxna, mördare. Under skynket var alla lika.
Tysta och döda rullades de in i kylrummet
av Benke Edwards. Inget mer med det.

Han kom fram till kylrummet,
baxade upp dörren och skjutsade in vagnen.
Den tunga dörren gick i lås bakom honom.
Nu skulle han bara fylla i några papper.
Sedan kunde han gå hem.

Då såg han något underligt.
En brunröd fläck på skynket.
Fläcken växte långsamt. Liket blödde.
Men man blödde inte när man var död.
Så fort man dog stelnade blodet i ådrorna.

Men Benke Edwards var inte orolig.
Han hade varit med om sådant förut.
Det kunde vara vagnen som hade skakat
så att en blodansamling inne i skallbenet rann ut.

Benke öppnade ett medicinskåp
och tog fram gasbinda.
Det var också hans jobb:
att plåstra om de döda om det behövdes.
Benke drog ner skynket. Liket såg hemskt ut.
Benke hade sett många döda,
men det här var det värsta. Ansiktet. Fy fan.
Att han hade levt mer än en vecka
med ansiktet förstört av saltsyra.
Ja ja. Det var som det var.

Benke undersökte kroppen.
Blodet verkade komma från två sår på halsen.
Benke klippte av en bit gasbinda
och försökte sätta fast den med plåster.
Skit. Var skulle han sätta plåstret?
Mannens hals var också helt förstörd.
Och det kom mer och mer blod ur såren.

Benke tog fram mer gasbinda ur skåpet.
Han gick fram till liket igen.
Vad nu då? Skynket låg på golvet.
Mannen låg naken. Hans penis stod rakt upp.

Benke drog efter andan.
Det här blev konstigare och konstigare.
Drömde han? Han blundade några sekunder.
Sedan öppnade han ögonen igen.
Då såg han. Mannen var inte död.
Det var därför han blödde.
Han hade hällt en burk saltsyra över sig.
Han hade hoppat från tionde våningen.
Ändå rörde han på sig.
Benke Edwards blev stel av skräck.

Mannen gav ifrån sig ett gnällande ljud,
medan han försökte resa sig:
– Eeeiiij…

Vad fan ska jag göra? tänkte Benke Edwards.

– Eeeiiij… gnällde mördaren.

– Jag ska hjälpa dig, sa Benke.
Försök ligga still. Jag ringer efter ambulans.

Mannen pekade med handen mot sin mun.
Eller mot hålet där munnen borde sitta.
Det var som om han ville säga något.
Benke lutade sig fram för att höra.
– Ja? Vad är det?

Mannen grep tag om Benkes nacke och drog
hans huvud neråt. Benke föll ihop över mannen.
Hans huvud trycktes ner mot hålet.
Han försökte komma loss, men det gick inte.
Ett finger trycktes långt in i hans öra
och han kunde höra benen
i hörselgången knäckas.

Sedan högg tänderna in i hans kind.
Fingret i örat nådde så långt in
att någonting gick sönder. Benke gav upp.
Det sista han såg var den blodiga gasbindan.
Den blev rödare och rödare
medan mannen åt upp hans ansikte.

Oskar

Det var natt. Oskar stod nedanför Elis fönster.
Han såg ett svagt ljus bakom persiennerna.
Längtan var för stark.
Han måste få träffa henne, trots allt som hänt.
Bara hon inte blev den där varelsen igen.
Blodsugaren.

Han längtade efter den riktiga Eli.
Som han skrattat med.
Som han hade chans på.
Till slut vågade han gå upp och ringa på.
Han väntade. Ingen öppnade.

Oskar ringde på igen.
Han ville hjälpa Eli.
Om hon blev den där varelsen fick det vara så.
Han måste få veta om den riktiga Eli fanns kvar.

Ingen öppnade.
Oskar satte sig i trappan.
Kanske var det för sent.
Kanske hade vampyren tagit över helt.
Kanske ville Eli inte träffa honom mer.

Då fick han en idé.
Han ringde på klockan igen.
Men nu ringde han med morsealfabetet.
Han signalerade hennes namn med ringklockan.
En kort. E
En kort, en lång, en kort, en kort. L
En kort, en kort. I
E L I

Han väntade.
Så hördes Elis röst från andra sidan dörren:
– Oskar? Är det du?

Glädjen exploderade i honom.
Den bubblade i hans bröst.
Alldeles för högt ropade han:
– Ja!

Dörren öppnades. Där var Eli.
Hon såg ut som vanligt. Frisk. Söt.

Hon vågade inte titta Oskar i ögonen.
I stället tittade hon på sina fingrar.

Oskar ville retas. Han var fortfarande arg på henne.
Så han sa precis som Eli brukade göra:
– Säg att jag får komma in!

Eli tittade förvånat på honom. Så nickade hon.
– Du får komma in.

De stod och tittade på varandra.

Eli hade trosor och en T-tröja med Iron Maiden.
Oskar tänkte att han hade sett den tröjan
i soprummet en gång. Hade hon hittat den där?

Strunt samma, tänkte Oskar.
Han var där för att få svar på sina frågor.
Han frågade rakt ut:
– Är du vampyr?

Eli skakade sakta på huvudet.
– Jag lever på blod. Men jag är inte... det där.

– Är du död, liksom? undrade Oskar.

Eli log för första gången sedan han kommit.
– Nej. Märks inte det?

– Är du gammal?

– Nej.
Jag är tolv år och jag har varit det väldigt länge.
Jag blir aldrig äldre än tolv år.

Oskar nickade.
De var tysta en stund.

Så sa Eli:
– Vill du fortfarande ingå förbund med mig?

Oskar ryggade tillbaka.
– Nej. Nej.

Eli såg ledsen ut.
– Nej, inte med blod. Jag skulle aldrig
kunna döda dig. Om jag hade velat det...

Oskar fortsatte åt henne:
– ...om du velat det så hade jag redan varit död.

Eli nickade.

– Blir jag smittad? frågade Oskar.

Eli skakade på huvudet.
– Jag vill inte smitta någon. Särskilt inte dig.

– Okej, sa Oskar.
Jag vill ingå förbund med dig.

Eli gick fram till honom.

Hon tog hans huvud mellan sina händer.
Hennes fingrar snuddade vid hans öron.
Ett lugn forsade genom Oskars kropp.

Händ, tänkte han.
Händ det som hända vill.

Elis andedräkt luktade rost. Hon viskade:
– Jag är ensam. Ingen vet allt om mig. Vill du veta?

– Ja, sa Oskar.

Så kysste hon honom. Försiktigt.
Smakade på hans läppar.

Oskars huvud fylldes av bilder.
Det var som i en dröm.
Men Oskar förstod att bilderna var Elis berättelse.

En slottssal för länge sedan.
Levande ljus, stora skuggor på väggarna.
Ett stort bord fullt med mat.
Fattiga hungriga barn som äntligen får äta.
En man med kritvitt ansikte vid bordets kortända.

En otäck man.
I handen har han ett vinglas fyllt med blod.

Barnen äter och äter.
Plötsligt klingar mannen i glaset.
Det blir tyst.
Mannen tar fram två stora tärningar.
Högtidligt håller han upp tärningarna
och låter dem rulla över bordet.
Alla tittar.
Ingen vågar säga något.
Tärningarna stannar.
Mannen visar siffrorna.
Fyra på den ena. Tre på den andra.
Nummer sju.

Alla vänder sig mot ett av barnen.
Det är Eli.
Eli har nummer sju.
Mannen tar Eli i handen och leder bort henne.
De andra barnen gråter av skräck.

Eli släppte Oskars huvud.

Oskar gnuggade sig i ögonen.
– Det är sant, alltså, sa han.

– Ja, sa Eli.
Det var den mannen som smittade mig.
Sedan dess har jag varit tolv år.

Oskar var tyst en stund. Sedan sa han:
– Den där tröjan. Är den från soprummet?

– Ja, sa Eli.

– Har du tvättat den efteråt?

– Nej.

– Du är lite äcklig, vet du det? sa Oskar.

– Då får du lära mig hur man gör
när man inte är äcklig, sa Eli.

De skrattade tillsammans.
Oskar var lättad.
Han hade fått tillbaka Eli.
Det kändes härligt.
Nu skulle det alltid vara de två.

– Du kan ju börja med att byta tröja, sa Oskar.

Medan Eli letade i garderoben gick Oskar
in i vardagsrummet. Han satte sig i soffan.

Eli kom in i en rutig skjorta. Den var för stor.
Men den var åtminstone ren, så Oskar sa inget.

Men han var inte färdig med sina frågor än.
Det fanns mer han måste få veta.
– Gubben som bodde här förut, sa han.
Det var inte din pappa, va?

– Nej, sa Eli.

– Var han vampyr?

– Nej, sa Eli. Han hjälpte mig.

Oskar nickade.
Men han kände sig orolig igen.
Han tänkte på den andra Eli.
Den som hade visat sig i källaren häromdagen.

Eli tittade på Oskar och sa:
– Jag är en människa precis som du.
Tänk bara att jag har en sjukdom.
En väldigt ovanlig sjukdom.

Oskar nickade.
Men så kom han att tänka på en sak.
– Fast du är ingen vanlig människa.
Du dödar folk.

– Oskar... sa Eli.

– Men det är så. Om du talar sanning
måste du ju döda folk. För att få deras blod.

Eli såg ledsen ut. Nej, inte ledsen. Förtvivlad.
– Vad vill du att jag ska göra? sa hon till slut.

Oskar tänkte efter ett tag.
– Ge mig ett bevis, sa han sedan.
Visa att du verkligen är den du säger.
Då kanske jag kan förstå.

Eli skakade på huvudet.

– Varför inte?

– Gissa.

Oskar sjönk ner i soffan.
Han kände sig arg på Eli.
Först fick hon honom att tro på en galen historia.
Sedan kunde hon inte ens visa att den var sann.

Han reste sig och sa:
– Jag ska gå hem.

Eli tog tag i hans hand.
– Stanna. Snälla.

– Varför det? sa Oskar. Du kan inte ens visa mig.

– Stanna, sa Eli.

– Släpp mig, sa Oskar.

Rätt vad det var började de brottas.
Det var både lek och allvar.
Oskar var både arg och glad.
Och det var samma sak med Eli.
De kramades och bråkade på samma gång.
De rullade länge runt på soffan och på golvet.

Till slut tröttnade de.
De låg bredvid varandra i soffan och flämtade.
Oskar var svettig och trött. Han gäspade.

– Hur gör du? frågade han plötsligt.

– För att få blod?

Eli såg på honom. Länge.
Sedan såg Oskar hur det rörde sig
innanför hennes kinder. Så gapade hon.
Oskar såg huggtänderna.
Hon stängde munnen igen.
Oskar var nöjd. Han hade fått sitt bevis.

– Vad ska jag kalla dig för? undrade han.

– Eli, sa Eli.

– Heter du så?

– Nästan.

– Vad heter du då?

En paus. Eli flyttade sig en bit bort i soffan.
Så kom det:
– Elias.

– Det är ju ett killnamn, sa Oskar.

– Ja, sa Eli.

Oskar blundade. Han orkade inte mer.
Orkade inte med fler hemligheter.
Han var trött ända in i själen.

Han sögs sakta in i sömnen.
Samtidigt kände han
hur Eli strök honom över kinden.

Sedan fanns det bara stjärnor.

OSKAR

Söndag 8 november

Oskar slog upp ögonen.
Han blev rädd.
Han visste inte var han var någonstans.
Så mindes han. Kyssen. Brottningen. Elias.
Alla frågor som nu fått svar.

Han såg sig omkring i det mörka vardagsrummet.
Fönstren var täckta av upphängda filtar.
Var fanns Eli? Nej, inte Eli. Elias.
Det var svårt att vänja sig vid det.

Oskar gick fram till fönstret och gläntade på filten.
Det var solsken därute.
Men var fanns Eli?
Oskar tänkte på vampyrböcker han hade läst.
I de historierna låg blodsugaren
och sov i en kista på dagen.
Men det verkade lite… larvigt.
Hade Eli en kista någonstans hemma hos sig?
Han måste få se henne.
Han fick leta igenom lägenheten.
Men först måste han kissa.
Han gick till toan.

Precis när han skulle öppna såg han lappen.
Den satt upptejpad på dörren.
Så här stod det:

Oskar!
Hoppas du har sovit gott.
Jag ska också sova nu. Jag är i badrummet.
Kom inte in dit är du snäll.
Det får inte komma in något solljus.
Det är farligt för mig.
Jag litar på dig.
Jag hoppas att du kan tycka om mig
fast du vet hur det är.
Jag tycker om dig. Var inte rädd för mig.
Vill du träffa mig i kväll?
Skriv det på lappen i så fall.
Jag är ensam. Mer ensam än du vet.
Din Eli

PS. Var inte rädd för mig. DS.

Oskar läste lappen flera gånger.
Sedan hämtade han en penna i köket.
Så skrev han längst ner på papperet:

JA.

Lacke och Virginia

Det hade varit en vidrig natt.
Det var blod överallt i lägenheten.
Virginia hade skärsår över hela kroppen.
Ändå var hon fortfarande hungrig.

Det räckte inte att dricka sitt eget blod.
Virginia hade förstått vad hon måste göra:
döda en annan människa.
Dricka den människans blod.
Det var enda sättet att känna sig frisk igen.

Persiennerna var nerdragna,
men en liten stråle sol tittade in i en glipa.
Virginia stack in armen i strålen.
Genast blev huden kritvit.
Sedan började den ryka.

Hon ryckte bort armen.
Det gjorde fruktansvärt ont.
Hon drog sig bort från solljuset och tänkte.
Hungern. Hon måste ha blod.
Hon försökte tänka på Lacke. På hans mun.
Hans leende. Hans hår. Hans... hals.

Hon tänkte hur det skulle vara att sätta
tänderna i hans hals.
Suga i sig. Dricka hans blod.
Nej! Hon fick inte tänka så!
Hon började gråta.
Vad hade hon förvandlats till?

Virginia slog sig själv i huvudet.
Jag kommer aldrig mer kunna träffa Lacke.
Jag får aldrig mer träffa någon jag älskar.

Det var inte mycket solljus
som trängde in mellan persiennerna.
Men det var för mycket för Virginia.

Hon kröp till sovrummet. Samma sak där.
Persiennerna släppte in strimmor av solljus.
De stack i skinnet.
Hon tog täcket från sängen
och kröp tillbaka in i vardagsrummet.
Hon såg sig omkring.
Där. Den stora garderoben.
Därinne var det tillräckligt mörkt.
Hon öppnade dörrarna och kröp in.
La sig under täcket. Stängde till. Nattsvart.
Hon rullade ihop sig under täcket.
Lugnet tog över kroppen.

En sista tanke innan hon somnade:
Varför är jag inte varm?
Och så svaret:
För att jag inte har andats på flera minuter.
Jag behöver inte det längre.

Sedan kom den drömlösa sömnen.

Elva timmar senare vaknade hon.
Munnen kändes som papper. Törsten. Hungern.

Hon öppnade garderobsdörren och kikade ut.
Ingen sol trängde in mellan persiennerna.
Bara en svag strimma månljus.
Natten hade kommit.

Virginia kröp ut på golvet.
Hon fick syn på sina armar. Hon flämtade till.
De många skärsåren. Ärren. Brännblåsorna.
De var borta. Armarna hade läkt medan hon sov.

Hon stirrade på armarna. Kände suget efter blod.
Då förstod Virginia vad som hade hänt henne.
Och så sa hon det högt för första gången:
– Jag är en vampyr.

Virginia satt en stund på golvet och grät.

Hon visste vad hon var tvungen att göra.
Skaffa blod. Det var det hennes liv skulle
handla om – att döda för att själv leva vidare.

Men vem skulle bli hennes första offer?
Inte Lacke. Inte för allt i världen.
Hon älskade honom för mycket.
Då kom hon på det: Gösta. De var inte vänner.
Han var Lackes kompis, egentligen inte hennes.
Och innerst inne hade hon aldrig
tyckt om honom särskilt mycket.

Hon klädde på sig och gick ut i natten.
Det var svinkallt ute.
Virginia såg att hon hade glömt jackan.
Hon frös inte. Vampyrer fryser inte, tänkte hon.

Nedanför höghuset stannade hon upp.
Hon såg upp mot Göstas fönster.
Det lyste. Han var hemma.
Han var alltid hemma. Han och katterna.
Virginia rös när hon tänkte på katterna.
Hon förstod inte varför.
Hon hade aldrig varit rädd för katter.
Var vampyrer rädda för katter? Tydligen. Varför?

Nu var hon framme. Hon ringde på dörren.

Gösta öppnade.
– Men... du? Är inte du hemma och är sjuk?

Virginia svarade inte.
Jag måste bli inbjuden, tänkte hon.
Hon visste inte varför.
Hon bara kände det på sig.
Annars skulle något hemskt hända.

Gösta flyttade sig åt sidan.
– Var så god, välkommen in!

Ja. En inbjudan.
Virginia steg in i hallen.
Gösta såg på henne.
Han såg trött ut och luktade sprit.

Virginia kände hungern.
Hon la händerna på Göstas axlar.
Sa till honom:
– Vill du hjälpa mig med en sak? Stå still.

Gösta nickade.
Virginia blundade och öppnade munnen.

Då hördes en bekant röst:
– Virginia! Vad glad jag är att se dig!

Det var Lacke som kom ut från toaletten.

Virginia vände sig mot honom.
Lacke ryggade tillbaka.
Vad konstig hon såg ut.
Tom blick. Kritvit hy. Spänd mun.
Virginia stirrade på Lacke.
Hon släppte Gösta och vände sig mot dörren.

Lacke tog tag i henne.
– Vart ska du? Gå inte. Inte förrän vi har pratat.

Virginia darrade.
Lacke föste in henne i vardagsrummet.
– Kom och sätt dig ett tag, sa han.
Du verkar inte frisk än.

Virginia stod mitt i rummet. Hon såg livrädd ut.

Då hördes ett fräsande ljud bakom soffan.
Ett likadant från bokhyllan. Ett till från fönstret.
Rummet fylldes av ett allt starkare fräsande,
väsande. Alla katter hade rest sig.
De stod med krökta ryggar
och uppburrade svansar och fräste mot Virginia.
Från sovrummet och köket kom fler katter.
Fräsandet växte i styrka.

Lacke var tvungen att skrika för att höras:
– Gösta, vad gör dom?

Gösta skakade på huvudet.
– Jag vet inte. Jag har aldrig...

En liten svart katt tog ett språng mot Virginias lår.
Den borrade in klorna och bet tag.
Två andra katter hoppade upp på hennes rygg.
De började bita och rivas.
En katt satte sig på hennes huvud och klöste.

Virginia skrek och försökte göra sig fri.
Hon slog på katterna.
Tre katter till hoppade på henne.
Virginia slog dem med knytnävarna,
de släppte inte. De hängde överallt på henne,
bet, slet, klöste, rev. Fräste.

Lacke försökte hjälpa.
Han slet i katten på Virginias huvud.
Den släppte inte. Han drog ännu hårdare.
Då hördes ett knäpp.
Katten sjönk ihop och ramlade ner på golvet.
Den var död.

– Sluta! skrek Gösta. Du gör dem illa!

Gösta sjönk ner framför den döda katten.
Han smekte den över ryggen. Han grät.
– Sluta. Sluta. Snälla. Sluta.

Katterna gav sig inte. Lacke förstod
att de inte skulle sluta förrän Virginia var död.
Han var tvungen att göra något.
Han grep tag i Virginia
och drog henne med sig mot ytterdörren.
Virginia tumlade ut i trapphuset.
Katterna krälade på henne.
En tjock svart matta av päls, klor och tänder.

Sedan föll Virginia.
Hon rullade, studsade, dunsade nerför trapporna.
Krasande ljud när ben knäcktes.
En hård stöt när huvudet slog i golvet längst ner.

Virginia låg stilla. Äntligen slutade katterna.
En efter en hoppade de ner från henne.
De gick in i lägenheten och började putsa pälsen.

– Virginia! ropade Lacke och sprang till henne.

Han böjde sig fram och lyssnade.
Hon andades inte. Herregud, Virginia.
Vad har de gjort med dig?

***

Lacke vaknade med ett ryck.
Först visste han inte var han var någonstans.
Sedan mindes han allting.
Katterna. Fallet. Ambulansen.
Virginia som inte hade andats,
men som hade vaknat på sjukhuset.

Då hade hon varit helt tokig.
Hon hade slagit omkring sig och vrålat.
Tre sköterskor hade fått hjälpas åt att hålla henne.
De hade spänt fast henne med remmar i sängen.
Hon hade förlorat mycket blod
i slagsmålet med katterna.
Så de hade också givit henne blod från en slang.
Slangen hade suttit fast med en kanyl i armen.

Lacke hade suttit bredvid henne
tills hon hade somnat.
Sedan hade han själv somnat i stolen.
Det var mörkt i rummet.
Han tittade på Virginia i sängen.
Hon tittade tillbaka. Hennes ögon lyste i mörkret.

Lyste? Det var något konstigt med ögonen.
Pupillerna var avlånga. Som hos en... en katt.

Lacke gnuggade ögonen. Nej, han hade sett fel.
Pupillerna såg ut som vanligt.

Virginia blinkade några gånger. Sedan sa hon:
– Du måste hjälpa mig.

– Jag gör vad som helst, sa Lacke.

Virginia slickade sig om läpparna.
Hon andades in och släppte ut luften i en suck.
Hon tittade på Lacke. Och så sa hon det:
– Jag är vampyr.

Lacke skakade på huvudet.

– Jag gick till Gösta för att döda honom.
Dricka hans blod.
Jag visste inte att du var där.
Om du inte varit där hade jag dödat honom.
Förstår du? sa Virginia.

Lacke visste inte vad han skulle säga.

Virginia berättade vidare:
– Jag tål inte ljus. Jag kan inte äta mat.
Jag har hemska tankar.
Jag vill göra illa människor. Jag vill inte leva.

– Du får inte säga så där, sa Lacke.
Du ska fan inte dö. Du får inte säga så där.

Det var tyst en stund.
Lacke gick fram och öppnade fönstret.
Han tände en cigarrett.
Blåste ut röken i nattkylan.
– Du är bara trött, sa Lacke.
Du ska inte dö. Du ska ligga här och bli frisk.
Sedan ska jag sälja mina dyrbara frimärken.
För pengarna ska jag köpa en bondgård
på landet åt oss. Där ska vi leva lyckliga.

Då började Virginia gråta.
– Nej Lacke, det kommer aldrig att bli så.
Jag är en vampyr.
Jag måste få dö innan jag dödar andra.

– Men vampyrer finns inte! Det sa du själv.

– Kom hit, sa Virginia.
Titta på mig. Då ser du att jag talar sanning.

Lacke gick fram till sängen.

– Dra undan täcket, sa Virginia.
Jag är fastspänd. Jag kan inte själv.

Lacke drog undan täcket. Han flämtade till.
Katterna hade klöst och bitit henne
över hela kroppen. Sedan hade hon fallit
nerför trappan och slagit huvudet.
Men på hennes kropp syntes ingenting.
Inte ett sår. Inte en bula. Inte ett blåmärke.

Då förstod Lacke.
Han kröp ner bredvid Virginia i sängen
och grät som ett barn.
Det skulle inte bli någon bondgård.
Det skulle inte finnas någonting i hans liv.
Bara tomhet.

Och först skulle han vara tvungen
att hjälpa Virginia att dö.
Så att hon fick vila i frid.
I morgon skulle det ske.
Det här var sista natten med Virginia.

– Lacke, viskade Virginia. Jag älskar dig.

Lacke svarade inte. Han bara grät.
Först Jocke. Sedan Virginia.
Han skulle hämnas.
Han skulle ta den som hade gjort det här.
Som hade tagit Virginia ifrån honom.

Oskar och Eli

Oskar satt vid köksbordet med dagens tidning.
Han stirrade på en bild i tidningen.
Artikeln handlade om mannen som hittats i isen.

Det var bilden som hade fått honom att förstå.
Den döde hade hållit i en tygbit.
Det var tygbiten som syntes på bilden.
En rosa tygbit. Oskar kände igen den.
Han visste var den kom ifrån. Elis tröja.

Det stod att mannen hette Jocke.
Sista gången han sågs i livet var den 24 oktober.
Oskar kom ihåg den kvällen.
Han och Eli hade träffats på lekplatsen.
Eli hade sett frisk ut.
Men tröjan var smutsig och sönderriven.
Det var Eli som hade mördat Jocke.

Men det var något som inte stämde.
Det hängde inte ihop.
De hade ju tagit en annan mördare.
Gripit honom på bar gärning i simhallen.
Då förstod Oskar.

Gubben som hade bott med Eli.
Han hade jobbat för henne.
Ibland var det Eli som mördade. Ibland gubben.
Men blodet var alltid till Eli.

Allt som stått i tidningarna handlade om Eli.
Alla mord den senaste tiden. Det var Eli.

Oskar visste inte vad han skulle göra.
Han gick in och la sig på sängen.
Då knackade det i väggen.
Morsesignaler: J A G G Å R U T
Han tvekade en stund.
Sedan knackade han tillbaka: K O M H I T
Det knackade igen:
V A R Ä R D I N M A M M A
Oskar knackade tillbaka:
B O R T A

Mamma jobbade nattskift.
Hon skulle inte komma förrän på morgonen.

Det dröjde inte länge.
Sedan visslade det utanför fönstret.
Oskar tittade ut. Där stod Eli. Nej, där stod Elias.
Med den stora rutiga skjortan på sig.
Oskar vinkade att han skulle komma in.

Eli stannade utanför dörren, men kom inte in.
Oskar stod med armarna i kors i hallen.

– Oskar, sa Eli. Du måste bjuda in mig.

– Men jag vinkade ju från fönstret.

– Du måste säga det högt, sa Eli.

Oskar tänkte en stund.
– Vad händer om jag inte gör det? sa han.

– Lägg av, sa Eli.

– Nej men seriöst, vad händer? sa Oskar.

Eli blev allvarlig.
– Vill du se vad som händer? Vill du det?

Oskar nickade.
Eli knep ihop läpparna.
Blundade. Tog ett kliv över tröskeln.

Oskar såg.
En tår trängde fram ur Elis ögonvrå.
Nej. Det var ingen tår.
Det var en droppe blod.

Mörka fläckar syntes överallt på huden.
Blodsdroppar trängde fram i hela ansiktet.
På armarna och halsen också. Blod rann
ur Elis mun, ur öronen, ur ögonen, ur näsan.

Eli svettades blod. Oskar såg hur ont det gjorde.
Men Eli gav inte ett ljud ifrån sig.

Oskar drog efter andan. Han skrek:
– Du får komma in! Du får det! Du får vara här!

Eli slappnade av. Blodet slutade rinna.

– Förlåt, sa Oskar. Jag visste inte…

Eli var täckt av en hinna med blod.

– Det är okej. Det var bra att du fick se.
Men jag tror att jag måste duscha.

Eli gick in i badrummet.
Oskar gick och satte sig i vardagsrummet.
Han skämdes. Han hade gjort Eli illa.
Det fick aldrig hända igen.

Så kom Eli in i vardagsrummet. Naken.
Oskar trodde inte sina ögon.

Mellan benen fanns ingenting.
Ingen skåra. Ingen penis. Bara slätt skinn.

– Du har ju ingen snopp, sa Oskar till slut.

– Jag har haft, sa Eli.

– Vad hände med den då?

– Jag glömde den på tunnelbanan, fnissade Eli.

– Larva dig inte, sa Oskar.

– Kom ska jag visa dig, sa Eli.

Oskar reste sig. Och det hände igen.
Eli kysste honom. Tröttheten.
Bilder i huvudet. Berättelsen fortsatte.

Mannen för Eli till ett rum som luktar sprit.
Eli blir avklädd och fastspänd på en träbänk.
En annan man med puckelrygg kommer in.
I ena handen har han en metallskål.
I andra handen håller han en kniv.

Eli skriker. Männen fnittrar.
Puckelryggen böjer sig ner mellan Elis ben.

Kniven blänker. Sedan smärtan.
Eli skriker. Kroppen brinner. Eli svimmar.
Vaknar en stund senare.
Mannen med tärningarna står framför honom.
Han håller upp skålen och dricker ur den.
Dricker Elis blod. Äter Elis kött. Eli svimmar igen.

Oskar slet sig loss. Mer ville han inte se.
Det var fruktansvärt.

– Nu har du sett, sa Eli. Nu vet du.

Oskar mådde illa. Han satte sig ner.

– Var det då du blev smittad? frågade han.

– Ja, nickade Eli. Mannen smittade mig.

Herregud, tänkte Oskar.
Det var det värsta jag har sett.

Plötsligt kom han ihåg bilden från tidningen.

– Förresten. Den där gubben. Du vet
att han har rymt, va? Han som bodde hos dig.

– Vad är det med honom?

Oskar blev arg.
– Sluta ljuga nu. Jag vet alltihop.
Jag vet vad han hjälpte dig med. Han har rymt.
Polisen jagar honom. Här, i skogen, sa Oskar.

Eli såg rädd ut. Oskar blev orolig.

Eli sa:
– Du får inte gå ut. När det är mörkt. Lova det.
Den mannen är livsfarlig för både dig och mig.

Oskar fnös:
– Du låter som min mamma.

Så berättade till slut Eli allt. Mannen hette Håkan.
Eli hade hittat honom utsupen på en parkbänk.
Utan familj, utan pengar, utan vänner, utan jobb.
Han hade varit ensam i hela världen.
Eli hade tagit hand om honom.
Han hade fått pengar till mat
ur offrens plånböcker. Han hade fått bo hos Eli.

Ibland hade han fått känna på Elis kropp.
Det var betalningen för morden han utförde.
För att han hämtade blod och höll Eli vid liv.

Men nu hade det gått snett.

På sjukhuset hade Håkan bett Eli
att smitta honom. Eli hade gjort det.
Efter fallet från tionde våningen
var hans kropp död.

Men den som hade smittan
kunde aldrig dö på riktigt.
Kroppen var död men smittan levde.
Det var smittan som gick omkring
med det som fanns kvar av Håkan.
Det enda som fanns kvar var törsten efter blod
och längtan efter Elis kropp.
Högen av kött gick nu omkring
med ett enda mål: Eli.

Oskar var trött. Han orkade inte mer.
Det var för mycket hemskt på en gång.
Vampyrer. En död mördare som gick omkring.
Elis berättelse. Mannen på slottet.
Allt var sant. Allt hände nu. Allt hände honom.

– Jag ska nog gå nu, sa Eli.

– Vart ska du? frågade Oskar.

Eli såg på honom. En ledsen blick.
Oskar förstod. Skaffa blod.

– Du ska väl inte… sa Oskar.

– Nej. Jag ska inte mörda någon.
Jag ska försöka en annan sak, sa Eli.

***

Eli gick inte ut på gården.
I stället gick hon ner i källaren.
Hon hoppades att Tommy var där.
Han var en del av planen.

Det hördes ljud inifrån Källarklubben.
Prassel av plastpåsar.
Eli gick fram och knackade på.
Prasslet slutade. Det var tyst en lång stund.
Sedan hördes Tommys snoriga röst:
– Vem är det?

Eli tänkte efter och sa:
– Släpp in mig. Jag har pengar. Mycket pengar.
Jag vill göra affärer. Jag vill köpa en sak av dig.

En paus.
– Hur mycket? undrade Tommy.

– 3000 kronor, sa Eli.

– Då är det bra, sa Tommy och öppnade dörren.

Så sa Eli:
– Får jag komma in?

– Ja, ja, sa Tommy.

– Säg att jag får komma in.

– Du får komma in. Var så god.

Tommy stängde dörren. Han pekade på soffan.

– Jaha, sa Tommy. Dig känner jag igen.
Du är Oskars kompis. Vad är det du vill köpa?
Men jag vill se pengarna först.

Eli visade sina tre tusenlappar.
Hon hade tagit dem ur lådan hemma.
Där låg alla pengar som hennes
och Håkans offer hade haft i plånboken.
De behövde dem inte längre när de var döda.

– Okej, sa Tommy. Vad är det du vill köpa?

Eli var tyst en lång stund. Sedan sa hon:
– Blod.

– Blod? Tommy fnös.

Han skakade på huvudet.
Var tjejen tokig?
– Nä, sa han. Det är slut på lagret.
Vad är det du vill köpa på riktigt?

Eli tittade allvarligt på honom.
– Du får pengarna. Om jag får lite blod.

– Men jag har inget, sa Tommy.

Eli suckade. – Jo. Det har du.

Då förstod Tommy. Helvete. Menade hon…?

Eli nickade.
– Det är inte farligt.

– Men... hur gör man det?

Eli tog fram ett rakblad och ett stort plåster.
La dem på bordet.

Tjejen var helgalen.
Men 3000 kronor var mycket pengar.
Det skulle räcka långt.

Tommy skulle kunna resa någonstans.
Komma bort från den här stinkande källaren.
Bort från polarna och stöldgodset.
Tommy svalde. Han hade bestämt sig.
– Hur mycket behöver du? frågade han.

– En liter, sa Eli. Det är inte så mycket.
Man har ungefär sex liter i kroppen.
Du blir lite trött en stund efteråt.
Men sedan är du som vanligt igen.

– Men... varför? undrade Tommy.

– Jag har en sjukdom. Därför behöver jag blodet.
Om du vill kan du få ännu mer pengar.
Bara jag får blod av dig.

– Nä då, sa Tommy. 3000 räcker. Hur gör vi?

– Lägg dig ner, sa Eli. Håll upp armen.

Tommy blundade.
Kände hur det stack till i armvecket.
Kände hur hon drack.
Tommy somnade genast när det var färdigt.
Eli torkade sig om munnen.
Härligt friskt blod. En underbar smak.

Hon stoppade de tre tusenlapparna i hans ficka
och viskade: Tack. Och gick ut i källargången.
Då hördes ett hasande ljud.
Eli kände en lukt av död.
Något närmade sig sakta i mörkret.
Något flåsande. Något längtande.
Något som letade efter henne.

Eli gömde sig i matkällaren
där hon och Oskar hade gömt sig förut.
Hon kikade ut mellan spjälorna.
En trasig kropp.
En blodig massa där ansiktet borde vara.
Ett svart hål i stället för mun. Håkan.
Han hade kommit för att hämta henne.

Det svarta hålet öppnade sig.
– Eeeiiij. Eeeiiij.

Han kallade på henne.
Vid matkällaren stannade han.
Kände han att hon fanns där? Eli slutade andas.

På golvet i matkällaren låg en spetsig pinne.
Eli grep om den. Och väntade.

Håkan vände sig mot matkällaren.

Dörren var stängd,
men det var som om han tittade rakt på Eli.
Han tog ett steg mot dörren.
– Eeeiiij. Eeeiiij.

Då öppnade Eli. Ställde sig med pinnen.
Siktade mot hans hjärta.
Gjorde sig beredd att stöta till.
– Vad vill du? frågade hon.

Håkans enda öga glodde på Elis kropp.
Blicken gled upp och ner.
Ur munnen rann dregel.
Han flåsade högt. Drog upp skjortan.
Grep tag i penisen, som stod rätt ut.
Han började dra i kuken.
Han tittade på Eli och runkade.
– Eeeiiij, lät han hela tiden.

Eli sänkte pinnen och började skratta.
Allt detta.
Bara för att få titta på Eli och runka kuken.

Då lyfte Håkan handen och smällde till Eli
över örat så att hon föll till golvet.

***

I Källarklubbens lokal vaknade Tommy av ljudet.
Vad var det som hände där ute?
Han kände sig fortfarande snurrig
efter blodförsäljningen. Var fanns pengarna?
Han kände efter i fickan.
Bra. Tjejen hade inte blåst honom.

Det var världens rabalder där ute i källargången.
Något släpades över stengolvet.
Något lät: Eeeiiij. Någon gnydde av smärta.

Tommy reste sig upp.
Han förstod att något hemskt pågick.
Tänk om det kom till honom?

Han såg sig omkring i förrådet efter ett vapen.
På byrån stod en pokal han hade snott förut.
Han tog upp den, vägde den i handen.
Den var tung. Den gick att slåss med.

Tommy gläntade på dörren och tittade ut.
Ljuset föll på en fruktansvärd scen.

På stengolvet låg tjejen på mage.
Hon blödde ur örat. Hon var naken.

Över henne stod ett monster. Ett vandrande lik.

Ansiktet hängde i köttslamsor.
Kroppen var täckt av sår. Benpipor stack ut.

Monstret höll i något som stack ut från kroppen.
Det var kuken. Monstret riktade sin kuk
mot tjejens stjärthål och tryckte på.
Då vaknade tjejen. Och vrålade:
– Neeej!

Bredvid tjejen låg en vass träpinne.
Hon grep tag i den och vred på sig.
Sedan stötte hon in den i varelsens ansikte.
Monstret gled av henne,
men verkade inte känna någon smärta.

Tjejen kom upp på knä.
Nu satt hon mitt emot monstret.
Monstret sträckte sig efter henne:
– Eeeiiij. Eeeiiij.

Då tog hon tag i pinnen,
drog ut den med ett smackande
och tryckte den hårt in i monstrets bröst.
Monstret verkade mest förvånad.
Han tittade på pinnen som stack ut från bröstet.
Sedan sträckte han sig efter henne igen.
– Eeeiiij. Eeeiiij.

Nu gick allt väldigt fort. Tjejen ställde sig upp,
tog sats och sparkade hårt mot varelsen.
Monstret for baklänges
och blev sittande mot källarväggen.
Tjejen reste sig och sprang mot utgången.
Hon öppnade dörren och försvann.

Klick. Källardörren slog igen och gick i lås.
Tommy hade aldrig varit så rädd i hela sitt liv.
Han hörde monstret flämta i mörkret.

Ut. Han måste ut därifrån. Men hur?
För att komma ut måste han passera monstret.
Fan. Han var fast här i matkällaren.
Tommy kramade hårt om pokalen.

Då kom han på det. Han kunde inte komma ut.
Men han kunde gömma sig på ett säkrare ställe.
Två dörrar bort fanns ett skyddsrum.
Dörren där skulle hålla för ett bombanfall.
Om Tommy kunde låsa in sig där
skulle monstret aldrig komma åt honom.
Tommy råkade stöta till dörren till matkällaren.
Det gnisslade i en bräda. Monstret slutade gnälla.
Monstret hade hört honom.
Det var tyst några sekunder.
Sedan hörde Tommy hasandet igen.

Monstret var på väg mot honom.
Det fanns ingen tid att förlora.
Skyddsrummet. Sista chansen.

Tommy andades in djupt.
Så kastade han sig ut från matkällaren,
störtade mot skyddsrummet
och försökte öppna den tunga dörren.
Jävlar! Den satt fast. Den gick inte att få upp.
Tommy såg med skräck monstret komma krälande.
Det sträckte ut en arm mot honom.

Tommy tog i allt vad han kunde
och äntligen svängde dörren upp.
Precis när monstrets kalla kladdiga fingrar
snuddade hans ben
lyckades han åla in i skyddsrummet.
Han drog igen dörren.
Nu gällde det bara att stänga till.

Tommy kände efter. Herregud.
Vad var det här. Var fanns bommen?
Dörren till skyddsrummet låstes med en stålbom.
Den skulle man fälla ner.
Då kunde ingen komma in.
Men bommen var borta.
Någon hade skruvat bort den.

Allt var förbi. Nu skulle det inte dröja länge
innan monstret kom och tog honom.

Det krafsade på dörren. Och så öppnades den.
Sakta. Ett par centimeter i taget.
Något blött och flåsande haltade över golvet.

Tommy blundade. Nu ska jag dö, tänkte han,
och i samma stund bajsade han på sig av rädsla.

Han började gråta, kramade pokalen, väntade.
Pokalen? Han hade en chans. Ett vapen.

Varelsen trevade i mörkret efter Tommy.
Den grymtade till när den kände Tommys fot.
Började känna upp mot hans ben.

Då höjde Tommy pokalen. Och klippte till.
Smack! En perfekt träff.
Marmorklumpen träffade monstret i tinningen.
Huvudet lossnade med ett äckligt, segt ljud.
Ja, tänkte Tommy. Ja! Ja!

Men det var inte slut än. Varelsen reste sig igen.
Utan huvud segade den sig upp på benen.
Den lutade sig över Tommy, grep efter hans hals.
Då slog det slint i huvudet på Tommy.

– Du ska vara död, skrek han åt monstret.
Du har inget huvud! Du ska vara död!

Så lyfte han pokalen och slog igen. Och igen...
Varelsen föll på rygg. Tommy fortsatte slå.
Smack! Kras! Efter en stund började han tycka
att det var riktigt roligt. Slå! Slå! Slå!

Tommy kom att tänka på en sång
från när han var en liten.
Han började sjunga den medan han slog:
En elefant balanserade
på en liten liten silvertrå-åd.
Det tyckte han var så intressant
så han gick och hämtade en annan elefant!

Blod och inälvor skvätte omkring i rummet.
Benbitar krasade sönder.
Monstret mosades i mindre och mindre bitar.
Två elefanter balanserade
på en liten liten silvertrå-åd.
Tre elefanter...

När Tommy slutade slå
var det 275 elefanter på silvertråden.
Och det var bara köttfärs kvar
av Håkan Bengtsson.

Lacke och Virginia

Måndag den 9 november

Lacke öppnade ögonen. Virginia var vaken.
De såg på varandra utan ett ord.

I rummet var det mörkt.
Men de visste att solen sken där ute.
Så reste sig Lacke ur sängen.
Han drog bort täcket från Virginia.
Det skulle gå snabbare då.
Hon skulle inte behöva lida så länge.
Han såg på henne en sista gång.
Sa: – Farväl.

Han gick fram till fönstret, drog upp persiennen.
Lacke tvingade sig att titta, för att aldrig glömma.

Han såg solstrålarna falla in på Virginias kropp.
Såg hur huden blev svart och började ryka.
Hur eldsflammor slog upp över låren,
över magen, över hela kroppen.
Såg hur Virginia skakade av smärta.
Hörde hur sängens stålrör skallrade.
Kände stanken av bränt hår, bränd hud.
Såg hennes skräckslagna ögon.

Såg sin älskade brinna upp
och förvandlas till en hög med aska.

På ett par minuter var det över.
Brandlarmet tjöt.
Lacke hörde steg i korridoren utanför.
En sköterska öppnade dörren.
Hon stannade på tröskeln. Hon skrek.
En sköterska till kom.
Hon började också skrika.

Lacke öppnade fönstret.
Han tände en cigarrett.
Han blundade.
Nu skulle Virginia slippa lida.
Men Lacke skulle lida.
Hela livet skulle han minnas den här stunden.

Jag ska döda den, tänkte han.
Jag ska döda barnvampyren.

Det var den enda tanke som fanns i hans huvud.
Hans enda tanke när brandkåren kom.
Hans enda tanke när polisen förhörde honom.
Hans enda tanke medan han klädde på sig.
Hans enda tanke på bussen hem.
Den ska inte leva.

Lacke hade sagt till polisen
att Virginia hade börjat brinna av sig själv.
Polisen hade nöjt sig med den förklaringen.
De hade undersökt askhögen
och kommit fram till att han hade talat sanning.

Nu var han fri att söka upp vampyren.
Men var fanns den? Var skulle han leta?

Svaret kom när han klev av bussen.
Bredvid busshållplatsen låg en kiosk.
Utanför kiosken hängde en löpsedel.

Med stora svarta bokstäver stod det:
MÖRDAREN. Och ovanför fanns en bild
på ett ansikte Lacke kände igen.
Det var mannen från kinesrestaurangen.
Han som varit där sista kvällen med Jocke.

Lacke stirrade på löpsedeln.
Nu förstod han hur allting hängde ihop.
Han visste var mannen bodde.
Han hade sett barnet
som bodde i samma lägenhet.
Mannen kanske var en mördare.
Men det var barnet som var vampyren.
Det var barnet Lacke måste döda.

Lacke sprang till huset där mannen bodde.
Han tittade upp mot fönstret.
Persiennerna var fördragna.
Så klart. Hon var ju vampyr.

Lacke gick in i porten och uppför trappen.
Han gick fram till dörren.
Hur skulle han göra nu då?
Han kunde inte ringa på.
Ingen skulle öppna.

Lacke kände på dörrhandtaget.
Och upptäckte att dörren var olåst.
Vampyren måste haft bråttom hem,
tänkte Lacke.
Tur för mig.
Otur för henne.

Han smög in i hallen.
Nu kommer jag. Nu jävlar kommer jag.

Lacke visste att mannen inte var där.
Antingen hade polisen tagit honom.
Eller så var han död.
Annars hade han inte varit på löpsedeln.
Så det var bara Lacke och vampyren i lägenheten.
Men var sov vampyren?

Först måste han ha ett vapen.
Han gick in i köket och öppnade en låda.
Han hittade en lång, vass kökskniv.
Den fick duga.

Så tittade han i sovrummen.
Ingen där.
Vampyren var tydligen smartare än så.

Men inte tillräckligt smart för att låsa dörren,
tänkte Lacke.

Efter ett varv i lägenheten
hade han inte hittat någonting.
Vampyren hade nog stuckit därifrån.
Hans blick föll på den stängda badrumsdörren.

Lacke log.
Självklart.
Smart. Men inte tillräckligt smart.

Så gick han fram
och började pilla upp låset med kökskniven.
Nu skulle han få hämnd för Virginia.

Oskar

Oskar hade aldrig sprungit så fort i hela sitt liv.
Han hade gått ner i källaren för att leta saker
i grovsoprummen, han hade hittat en kub,
en leksak som han tänkte ge till Eli.
I källarkorridoren hade han hört ett konstigt ljud.
Det klafsade från skyddsrummet.
Samtidigt var det någon som sjöng.

273 elefanter balanserade
på en liten liten silvertrå-åd...

Han hade gått dit.
Synen som mötte honom var fruktansvärd.
Tommy sittande på golvet. Pokalen i handen.
Hög av kött. Slagen. Blodet. Köttmoset.

Oskar hade genast förstått att Eli var i fara.
Det var då han hade börjat springa.
Tillbaka genom källargången.
Upp i trapphuset. Uppför trapporna.
Fram till Elis dörr.

Jävlar! Dörren stod på glänt!

Någon var där.
Någon hade förstått hur allt hängde ihop
och var där för att ta Eli.
Kanske var det redan för sent.
Kanske låg Eli redan där
med en påle genom hjärtat.
Nej. Inte tänka så.

Oskar smög in.
Det var som han hade trott.
Badrumsdörren var öppen.
Hoppas att han inte kom för sent.
Han kunde inte leva utan Eli.

Han tittade in i badrummet.
Badkaret var halvfullt med blod.
I blodet låg Eli.
Hon såg ut som om hon sov,
men Oskar visste att det inte var så.

Lutad över badkaret stod en man.
Oskar kände igen honom.
Det var en av alkisarna
som brukade hänga på kinesrestaurangen.
Han hade en kökskniv i handen.
Han höjde kniven över Elis bröst.
Han andades in och tog sats och…

– AAAAAAHHH!!!
Oskar vrålade allt vad han orkade.

Mannen ryckte till och vred huvudet mot Oskar.
– Jag måste göra det, mumlade han. Förstår du?

– Låt bli, sa Oskar.

Gubben stirrade på Oskar.
Sedan skakade han på huvudet:
– Nä.

Han vände sig mot badkaret och höjde kniven.

Oskar ville förklara.
Att den som låg i badkaret var hans vän.
Att det var hans... hans Eli.
Att de älskade varandra.

Men det fanns inte tid för det.
Oskar körde ner handen i jackfickan.
Han tog upp kuben han hade hittat i soprummet.
Och så slog han den så hårt han kunde
mot mannens huvud.
Det knakade till i tinningen på mannen.
Han ramlade åt sidan och tappade kniven.
Han for in i badkarskanten med ett väldigt brak.

Då vaknade Eli.
Reste sig upp ur blodet.
Såg mannen.
La sina armar om hans hals och bet sig fast.
Oskar backade ut ur badrummet.
Mannen såg honom.
Medan Eli tömde honom på blod
stirrade hans vettskrämda ögon på Oskar.

Först ville Oskar springa därifrån.
Så långt bort som möjligt.
Rymma från allting.

Oskar tvekade.
Nej.
Han kunde inte lämna Eli.
Eli var hans allt.

Oskar stängde badrumsdörren.
Han gick ut i hallen och låste ytterdörren.
Sedan gick han in i vardagsrummet.
Satte sig i fåtöljen.
Nynnade på en visa för att slippa höra ljuden
från badrummet.

En elefant balanserade
på en liten liten silvertrå-åd...

Oskar

Tisdag 10 november

Det hade varit två jobbiga dagar.
Men nu började saker och ting ordna upp sig.
Det hade varit polisförhör. Men det konstiga var
att han inte hade behövt säga så mycket.

Historien var så underlig.
Polisen och tidningar ville ha enkla förklaringar.
Så där det inte stämde hittade de på själva.
Ingen ville tro på vampyrer.

Det svåraste hade varit att hitta ett gömställe
för Eli. Lägenheten gick inte att vara i längre.
Men till slut hade han kommit på det.

Han hade pratat med Tommy.
De hade bestämt att Tommy skulle få hälften
av Elis pengar så att han kunde resa långt bort
och börja ett nytt liv.
Det var massor av pengar. Nästan 60 000 kronor.
Tommy skulle resa till Australien.
Där fanns det gott om jobb.

Som byte skulle Oskar få källarförrådet.

Det var perfekt. Skruvade man ur lampan
var det kolmörkt dygnet runt.
Där kunde Eli sova på dagarna.

Mamma hade också frågat en massa.
Det hade varit enkla frågor. Men svårare att ljuga.

Men alla som kände till Håkan var döda.
Eli var undangömd.
Och ingen hade sett Oskar och Eli tillsammans.
Ingen förstod att Oskar hade med saken att göra.
Det fanns inga ledtrådar. Så frågorna slutade.
Mamma var mest glad att allt hemskt
som hade hänt i området var över.

I kväll skulle han träffa Eli igen och smida planer.
De kunde inte stanna i Blackeberg.
Det skulle vara att fresta lyckan.
Men de hade 60 000 kronor.
De kunde rymma tillsammans.
Till en plats där ingen kände dem.

Men först skulle han gå på träningen.
Nu hade han ansvaret för Elis liv.
Då var det viktigt att han var stark.

Han gick till omklädningsrummet och bytte om.

Han såg Micke vid ett skåp längre bort.
Men var var Jonny?
Inte för att han saknade honom. Verkligen inte.
Men de där två hängde alltid ihop.

Träningen började. Oskar tränade tyngdlyftning.
Han hade blivit starkare. Klarade lätt 28 kilo.
Oskar lyfte och svettades. Lyfte och svettades.
När träningen tog slut var han helt utmattad.

Innan han duschade tänkte han svalka sig
i bassängen. Han hoppade i. Det var skönt.
Han flöt omkring i vattnet och tänkte
att allt skulle nog ordna sig.
Det skulle bli bra det här. Med honom och Eli.

Det var bara killarna från träningen i bassängen.
Alla andra hade gått. Simhallen skulle snart stänga.
Badvakterna syntes inte till.
De höll väl på att städa undan.
Den enda vuxna var magistern,
som stod vid bassängkanten och tittade på.

Plötsligt kom Micke rusande:
– Magistern, ropade han. Det ringer på kontoret.

Magistern nickade och gick i väg.

Oskar flöt på rygg.
Han blundade och fantiserade om Eli.
Han mådde bra.
Han visste inte att Jonny väntade inne
på kontoret, gömd bakom en hylla.
Han visste inte att Jonny slog ner magistern
med ett brännbollsträ.
Han såg inte att Jonny
sedan gick och hämtade sin storebror.
Såg inte när de kom in till bassängen.
Såg inte hotet. Förrän det var för sent.

– Oskar! ropade någon.

Oskar öppnade ögonen.
Där stod Jonny och Micke och flinade.
Bredvid dem stod Jonnys brorsa.
Han var stor och såg farlig ut.
I handen hade han något som blänkte.
En stilett.
Vad var det här?

Jonnys brorsa gick fram till bassängkanten.
Han lutade sig ner mot Oskar.
– Tjena Oskar.

Oskar sa ingenting.

– Du ser min lillbrorsa där? sa Jonnys brorsa.
Du ser bandaget han har på örat? Det är ditt fel.
Och eftersom det är min brorsa
så tänkte jag att du och jag skulle leka en liten lek.

Oskar förstod vad som skulle hända.
Han simmade mot andra bassängkanten
och försökte ta sig upp.
Men där stod Jonny och Micke. De trampade
på hans fingrar när han försökte klättra.

Jonnys brorsa böjde sig fram mot Oskar igen.
– Nä du, försök inte. Du och jag ska leka.

Han höll upp stiletten framför halsen
och låtsades skära.
– Du har inget val, lille Oskar. Så enkelt är det.

Helvete. Det här kunde sluta riktigt illa.

Jonnys brorsa berättade reglerna.
– Så här går det till:
du stannar under vattnet fem minuter.
Klarar du det får du bara en liten rispa
på kinden eller så. Som ett minne, bara.
Klarar du inte det… ja, då använder jag stiletten.
Och sticker ut ena ögat på dig. Okej?

– Det går inte, sa Oskar.
Ingen klarar sig under vattnet i fem minuter.

– Du förstår inte. Du har inget val.

Jonnys brorsa pekade på klockan på väggen.
– Du ser klockan där?
Om tjugo sekunder börjar vi.
Fem minuter. Eller ögat. Bara att välja.
Passa på att andas nu.
Tio...nio...åtta...sju...

Oskar försökte skjuta ifrån med fötterna
och simma i väg.
Men Jonnys brorsa grep tag i hans hår.
– ... sex... fem... fyra... tre... två... ett...
... NOLL!

Oskars huvud trycktes ner under vattnet.
Jonnys brorsa höll fast hans huvud.
Efter en minut kom paniken.
Oskar spärrade upp ögonen.
Rosa fläckar dansade framför ögonen på honom.
Han sparkade med benen utan att komma loss.
Han fäktade med armarna.
Hjärtat bultade snabbare och snabbare.
Hans huvud trycktes djupare ner.

Johan från Oskars klass hade sett allting.
Efter två minuter började han tycka
att det var läskigt. Skulle de döda Oskar?

Precis som de andra killarna
hade Johan stått och kollat på när allt började.
Och precis som de andra killarna
var han för rädd för Jonnys brorsa
för att våga göra något.

Men det här var inget vanligt bråk.
Det var på riktigt.
Om de inte släppte Oskar snart skulle han dö.
Och det enda Johan kunde göra var att se på.

Johan mådde illa av att titta.
Han vände ögonen mot nödutgången
för att slippa se. Då hände det.
En skugga föll från taket ovanför.
Genom glasdörren såg Johan hur skuggan reste
sig och blev ett barn. En flicka?
Flickan bultade hårt på glaset. Hon skrek något.
Johan försökte höra vad hon sa.
Han la örat mot glasdörren.

– Säg att jag får komma in! skrek hon.
SÄG ATT JAG FÅR KOMMA IN!

Johan nickade. Han kupade händerna till en tratt.
Och skrek så att det skulle höras genom glaset:
– DU FÅR KOMMA IN!

En sekund senare sprack glaset.
En ängel svävade in i rummet. En svart ängel.
En ängel med stora lädervingar och huggtänder.
En dödsängel.

Ängeln dök ner i vattnet och hämtade Oskar.
La honom vid bassängkanten. Flög upp igen.
Anföll Jonny. Micke. Jonnys brorsa.
Slet huvudena av dem
och kastade huvudena i bassängen.
Ängeln tog sedan Oskar och flaxade i väg
med honom mot den trasiga glasdörren.

Johan blundade.
Länge. Det var alldeles tyst i simhallen.

När han öppnade ögonen igen var både ängeln
och Oskar borta. Som om de aldrig varit där.
Men på golvet i simhallen låg tre döda pojkar.

I bassängen guppade deras huvuden.
Som tre blodiga badbollar.

Oskar och Eli

Onsdag den 11 november

En alldeles vanlig pojke satt på tåget.
På hyllan ovanför honom låg en resväska.
En alldeles vanlig resväska.
Men ovanligt tung. Och ovanligt stor. Som en kista.

– Nya resande, ropade biljettkontrollanten.

Pojken tog fram sin biljett.
Kontrollanten tittade på den och klippte i den.
Han pekade på resväskan.
– Vilken bjässe, sa han. Är den tung?

– Nä, inte särskilt, sa pojken. Jag är ganska stark.

– Vad har du i den, om jag får fråga?

– Lite allt möjligt, sa pojken.

– Trevlig resa, sa biljettkontrollanten och gick iväg.

– Tack, sa pojken. Det kan du lita på att jag ska ha.

Han tittade på väskan och log för sig själv.